small
museums
in Tokyo

# 改訂新版 東京のちいさな美術館めぐり

浦島茂世
Moyo Urashima

写真：永井潔アトリエ館



GB

# はじめに

２０１５年４月に発行した『東京のちいさな美術館めぐり』（ＧＢ刊）は、東京周辺にあるコンパクトな美術館、博物館、ギャラリー計１０６館をきれいな写真と一緒に紹介し、ありがたいことに、とても好評をいただきました。

それから8年ほど経って、残念ながら閉館してしまったところもありますが、その一方で新しくオープンしたミュージアムもたくさんあります。

本書では、あらたに37館を盛り込ん

で、東京と東京近郊の最新アートスポットをお届けします。ますます、個性豊かなラインナップとなりました。

今回も、訪れる人の心を打つ、素敵な空間ばかりです。どこも展示内容や建物にこだわりがあって、運がよければ、その美術館ゆかりの人物に会えることも。季節ごとに訪れるのもおすすめ。また違う魅力を発見できるはずです。ちいさな美術館には、大きな美術館にはない魅力があふれています。

一館一館、たっぷりじっくり鑑賞できるように見どころポイントも掲載しています。一息つけるカフェや、記念やプレゼントにもなるグッズも満載。

この本を片手にめぐって、あなただけのお気に入りのちいさな美術館を、ぜひ見つけてみてください。

２０２３年９月　浦島茂世

写真：ヨックモックミュージアム「カフェ ヴァローリス」

small museums in Tokyo

改訂新版

# 東京のちいさな美術館めぐり

ーもくじー



楽しみはアート鑑賞だけじゃないよ！

おしゃれな雑貨や書籍を買ったり

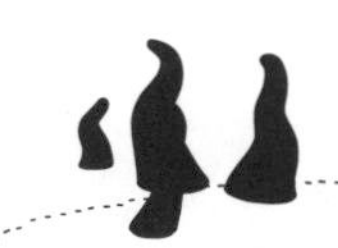

ここにしかない、
フードにほっこりしたり

ライブラリーで
のんびりしたり

写真は右から、藝大アートプラザ、静嘉堂文庫美術館、旧白洲邸 武相荘、ヨックモックミュージアム。

## 7 池袋・目白・駒込・落合エリア Ikebukuro.Mejiro.Komagome.Ochiai



## 8 新宿・練馬エリア Shinjuku.Nerima



## 9 東京23区内エリアそのほか

ちょっと懐かしい
気持ちになったり

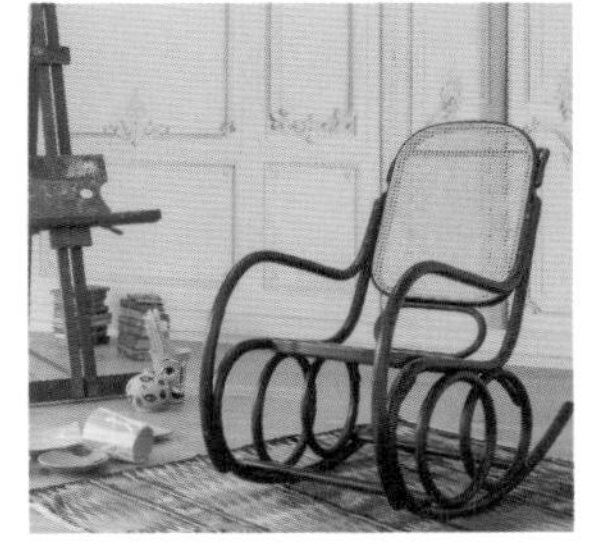

作家のアトリエをイメージした
フォトスポットで撮影したり

写真は右から、深沢小さな美術館、ヨックモックミュージアム、草間彌生美術館、世田谷美術館分館 向井潤吉アトリエ館。

## 10 東京23区外エリア

## 11 神奈川県エリア Kanagawa

館内をくまなく
散策してみよう

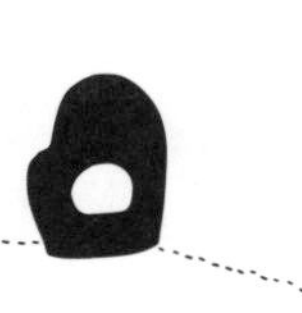

ドアを開けて
お入り下さい

さあ、
ちいさな美術館の世界へ！

写真：日本民藝館

※閉館30分～1時間前に入館締切りとなる施設が多いので、お出かけ前にご確認ください。

※施設によっては、学生割引など各種割引があります。詳細は各施設へお問い合わせください。

※本書の情報は2023年9月現在のものです。商品などの価格は税込表示です。本書の発売後、予告なく変更される場合があります。ご利用の前に、必ず各施設へ事前にご確認ください。

## アイコンの見方

丸紅ギャラリー …… 美術館名
まるべにぎゃらりー …… 美術館名の読み方
千代田区大手町 1-4-2 丸紅ビル3階 …… 所在地
03-3282-2111 …… 電話番号
10:00～17:00（入館は閉館の30分前まで） …… 開館時間
日曜、祝日、年末年始、展示替え期間 …… 休館日
一般500円ほか …… 入館料
東京メトロ東西線竹橋駅から徒歩1分 東京メトロ千代田線大手町駅から徒歩6分 …… 交通アクセス
https://www.marubeni.com/gallery/ …… 公式ウェブサイト

アクセス地図
地図を掲載していない施設は、各章のはじめのページをご覧ください。

small museums in Tokyo

1

# 上野・谷中エリア

Ueno, Yanaka

1. 朝倉彫塑館
2. 藝大アートプラザ
3. スカイ・ザ・バスハウス
4. 弥生美術館／竹久夢二美術館
5. 黒田記念館
6. 横山大観記念館
7. HAGISO
8. 旧岩崎邸庭園

展示内容によって、開館時間や入館料金が異なることがあります。
お出かけ前に、各館の公式ウェブサイトなどをご確認ください。

# 朝倉彫塑館

アトリエとして使われていた展示室。多くの弟子たちがここに足しげく通っていた。手前が《三相》。

1. アトリエに隣接している書斎には天井まで、蔵書がぎっしりと収められている。
2. 庭園は、中庭の池を中心に、儒教の教えに沿って巨石が5つ配されていると伝わる。
3. 「朝陽の間」の壁には、細かく砕いた瑪瑙が塗り込められ、赤味を帯び、ほのかに輝いている。
4. 谷中の広い空を一望できる屋上。朝倉彫塑塾の必須科目「園芸」のため、かつては菜園として使われていた。

## やさしい光が包み込む。芸術家のアトリエと住まい

下町の情緒を色濃く残す谷中の街に、ひときわ存在感を放っている朝倉彫塑館。もともとは明治から昭和にかけて活躍した彫刻家、朝倉文夫のアトリエ兼自宅でした。「彫塑」とは「彫刻」と「塑造」のことで、「sculpture」の翻訳語としてつくられました。現在はあまり使われなくなった言葉ですが、朝倉は終生この言葉と概念を大切にしていました。

建物の特徴は、コンクリート造のアトリエ棟と木造住居棟が融合していること。玄関から足を踏み入れて驚くのが、天井の高いアトリエ。3階部分まで、8・5mという高さの天井はやわらかいカーブを描き、明かりとりの窓から陽光が差し込み、代表作の《墓守》《大隈重信像》など、重厚な作品をやさしく包み込んでいます。

### 建物のこだわり

擬木をあしらった手すりや、円窓の曲線が、黒い外壁によく映える。舞台芸術家で画家として活躍した朝倉の長女、朝倉摂もここで暮らしていた。

かつては温室として使われていた「蘭の間」。天窓から光が降りそそぐ。写真左は、朝倉文夫の代表作《吊された猫》（1909年）。

## 時代と様式が同居する空間

木造の住居棟へ入ると、アトリエ棟とは対照的な和に満ちあふれた日本建築の世界。ここにもまた朝倉の好みがあちこちにとり入れられています。なかでも「朝陽（ちょうよう）の間」は圧巻の日本間。

円窓や擬木（ぎぼく）でつくられた手すりなど、館内には随所に曲線が用いられ、モダンな空間が広がります。作品はもちろんのこと、住まいへの細やかな心配りを発見するのが楽しくなります。来館者の安全確保、建物保全の観点から、スリッパ、裸足の入場は厳禁。そして靴下の着用が必須です。夏場はとくにご注意！

トートバッグ（右）とA4クリアファイルは人気のグッズ。躍っているかのような猫が愛らしい！

**朝倉彫塑館**
あさくらちょうそかん
台東区谷中 7-18-10

- 03-3821-4549
- 9:30 ～ 16:30（入館は閉館 30 分前まで）
- 休館日は下記ウェブサイトをご確認ください。
- 一般 500 円ほか
- JR、京成線、日暮里・舎人ライナー日暮里駅から徒歩５分
- https://www.taitocity.net/zaidan/asakura/

# 藝大アートプラザ

## 藝大ゆかりのアートに出合え買える場所

作品は基本的に購入可能。「もし部屋に飾るならばどれを選ぼう？」と想像しつつ鑑賞するのも楽しい。

創立以来数多くの芸術家を輩出してきた東京藝術大学。美術学部構内にあるこちらのギャラリーショップは「変わり続けるアートの広場」をコンセプトに、学生や卒業生、教員など、藝大にゆかりのある作家たちの作品を展示・販売しています。

年に8～9回行われる企画展や、「LIFE WITH ART」コーナーでは最先端の現代美術作品から、器やアクセサリーまで取り扱われておりバラエティ豊か。入場無料でさまざまなジャンルの芸術に触れられ、手に入れることもできる、アートにより深く関われるスポットです。

外にはチェアも設置。アート鑑賞の合間でひと休み。

1 「LIFE WITH ART」のコーナーでは、卒業生や教授、学生らの器やアクセサリーが並ぶ。

2 企画展では新進気鋭のアーティストの作品と出合えるかも。

3 一点もののアクセサリーはギフトにもおすすめ。

**藝大アートプラザ**
げいだいあーとぷらざ

台東区上野公園 12-8
東京藝術大学美術学部構内

☎ 050-5525-2102

10:00 ～ 18:00

休 月・火曜（祝日の場合は翌日）、展示替え期間

¥ 入館料無料

JR 上野駅・鶯谷駅から徒歩 10 分
東京メトロ千代田線根津駅から徒歩 10 分

https://artplaza.geidai.ac.jp/

# SCAI THE BATHHOUSE

風情あふれるギャラリーの外観。
撮影：上野則宏

## 元銭湯の建物に広がる最先端の現代美術

寺町として栄えてきた谷中。この情緒あふれる街に、現代美術専門のギャラリーがあります。日本ではまだ知られていない作家や作品を積極的に紹介しています。驚くのは、その堂々とした風格ある外観。実は、この建物はかつて銭湯でした。江戸時代から２００年もの歴史を持っていた銭湯「柏湯」が改装されてギャラリーとして生まれ変わったのです。オープンから25年以上経った現在も、瓦屋根で昔ながらの佇まいを残しています。番台の名残を残すふたつに分かれた入口から入ると、真っ白な空間と作品が目に飛び込んできます。高い天井には天窓がとられ、やさしい自然光が作品に差し込むことも。懐かしさと新しいアートを同時に楽しめる空間です。

1 「アニッシュ・カプーア個展（2010年）」展示風景。撮影：木奥恵三

2 名和晃平個展「Synthesis（2010年）」展示風景。撮影：表恒匡｜SANDWICH

**SCAI THE BATHHOUSE**
すかいざばすはうす
台東区谷中6-1-23 柏湯跡

- ☎ 03-3821-1144
- 12:00 ～ 18:00
- 休 日・月曜、祝日、展示替え期間
- ¥ 入館料無料
- JR日暮里駅から徒歩9分 東京メトロ千代田線根津駅から徒歩10分
- http://www.scaithebathhouse.com

協力：SCAI THE BATHHOUSE

# 弥生美術館／竹久夢二美術館

## 大正ロマンに触れられる ふたつの美術館

創設者の鹿野は晩年の高畠華宵をこの地に呼び寄せ、共に暮らした。

1 美術館の外壁には夢二の絵が描かれた記念碑がある。

2 夢二のイラストが描かれたキャンバストートバッグ（1,800円）。

3 夢二のパスケースは5種類ある（各1,500円）。

東京大学「弥生門」の斜め向かいにある、ふたつの隣り合う美術館には、弁護士の故・鹿野(かの)琢見(たくみ)が生涯かけて集めた明治から昭和にかけての出版美術の作品が収蔵・展示されています。

弥生美術館は、大正から昭和にかけて一世を風靡(ふうび)した挿絵画家・高畠華宵(たかばたけかしょう)の作品の常設展示と、出版美術をテーマとした企画展を開催。竹久夢二美術館は、抒情あふれる夢二の作品と資料が展示されています。両館を行き来する間に、かつての少年少女たちが心をときめかせていた世界に心奪われるはず。

「夢二カフェ　港や」は、緑豊かな中庭を眺められるのんびりした空間。人気の「夢のあと」は、カプチーノの表面に夢二にちなんだ絵が描かれています。

**弥生美術館**
やよいびじゅつかん
**文京区弥生 2-4-3**

**竹久夢二美術館**
たけひさゆめじびじゅつかん
**文京区弥生 2-4-2**

- 03-3812-0012（弥生美術館）
  03-5689-0462（竹久夢二美術館）
- 10:00 ～ 17:00（入館は閉館 30 分前まで）
- 休 月曜（祝日の場合は翌日）、年末年始、展示替え期間
- ¥ 一般 1000 円ほか（2 館とも観覧可能）
- 東京メトロ千代田線根津駅、南北線東大前駅から徒歩 7 分
- https://www.yayoi-yumeji-museum.jp

**夢二カフェ　港や**
10:30 ～ 17:30（L.O.17:00）
休 美術館に準ずる

美術鑑賞後も、カプチーノ「夢のあと」を飲んで乙女気分に。

大作《智・感・情》(1899年)は、新年・春・秋の年3回だけ特別公開。

# 黒田記念館

## 作品で感じとる 近代洋画の黎明期

パリで洋画を学び、当地で流行していた印象派の洗礼を受けた洋画家、黒田清輝。光に満ちあふれた彼の作品と帰国後の指導は後進の画家に強く影響を与え、現在は「近代日本洋画の父」と呼ばれています。同館には彼の画業を記念し、デッサン、画稿などが保管、展示されています。展示室は「黒田記念室」と、「特別室」のふたつに分かれています。《智・感・情》(1899年)や《湖畔》(1897年)などの代表作をしっかり鑑賞できる「特別室」は年に3回、各2週間の公開予定。お出かけの際はスケジュールのチェックをお忘れなく。

また、彼の作品とともに堪能してもらいたいのが建物。昭和初期に大流行したスクラッチタイルに覆われた外観を持つ建物は、国内外の建築様式に精通した建築家、岡田信一郎によるもの。階段の手すりのアール・ヌーヴォー風の曲線装飾

こだわりポイント

### 鑑賞後は、併設のカフェへどうぞ

黒田記念館別館の上島珈琲店には、ボリューム満点のBLTwithチーズエッグ（写真左）や黒糖ミルク珈琲を、落ち着いた雰囲気で味わえる。※メニューは変更する可能性あり。

**黒田記念館**
くろだきねんかん
台東区上野公園13-9

050-5541-8600（ハローダイヤル）

9:30～17:00
（入館は閉館30分前まで）

休 月曜（祝日の場合は翌平日）、年末年始

入館料無料

JR上野駅、鶯谷駅から徒歩15分

http://www.tobunken.go.jp/kuroda/

**上島珈琲店 黒田記念館店**
平日7:30～19:00
休 不定休

1 階段は地階と地上階で趣きが変わり、それもまた味。

2 黒田が使用していたイーゼルなども公開。館内には、資料室やショップもある。

3 秋～冬は、黄色に染まった銀杏の葉でさらに魅力的になる外観。

など、室内に重厚な装飾がほどこされており、優雅な気分に浸ることができます。

# 横山大観記念館

客間「鉦鼓洞（しょうこどう）」。名の由来は、大観がかつて住んでいた茨城県・五浦にあった洞窟から。

①池や石、燈籠などが配置された庭。椿や桜などが季節ごとに咲く。

②2階の画室からは不忍池が見渡せる。

## 畳に座って、床の間に飾られた日本画を眺める

西洋画の技法を日本画にとり入れ、画壇に新風を吹き込んだ画家、横山大観。「没線描法」と呼ばれる線描を抑えた画風は、ぼんやりと見えるため「朦朧体（もうろうたい）」と揶揄（やゆ）されることもありましたが、その後の日本画壇に大きな影響を与えました。

同館は、彼が暮らしていた数寄屋（すきや）造りの邸宅をそのまま利用しています。大観の作品や習作のほか、所蔵していた陶磁器や画材などが展示されています。光が十分に入るよう設計された各部屋に床の間が設けられ、大観の軸が掛けられています。床の間に掛けられた状態で鑑賞できるとても貴重な機会です。2階には、大観の画室がそのまま保存されています。2017年2月には、国の史跡及び名跡に指定されました。

**横山大観記念館**
よこやまたいかんきねんかん
**台東区池之端 1-4-24**

- ☎ 03-3821-1017
- 10:00 ～ 16:00（入館は閉館 30 分前まで）
- 休 月・火・水曜、年末年始、展示替え期間
- ¥ 一般 800 円ほか
- 東京メトロ千代田線 湯島駅から徒歩 7 分
- https://taikan.tokyo/

おすすめグッズはハンカチや色紙など。『大観のことば』（写真右）は、大観の残した名言をコンパクトに読める。

# HAGISO

写真は2022年3月に開催された、「TEXTILE POSTER」展の展示風景。

## 生まれ変わった昔ながらの木造アパート

1955年に建設された木造アパート「萩荘」。アトリエ兼シェアハウスとして利用されていましたが、老朽化が進み解体が決定。そこでサヨナラの意味も込め、住人たち主催でアパートを会場にしたグループ展「ハギエンナーレ2012」を開催したところ、予想を上回る大盛況！　このことがきっかけとなり、萩荘の解体はとりやめられ、リノベーションがほどこされ、最小文化複合施設として生まれ変わることになりました。柱と梁が横切る吹き抜けが魅力のアートギャラリーでは、若いアーティストの展示やダンス、映画上映などのイベントが開催されています。館内のカフェでは自家製ケーキやドリンクを味わいながらゆったりできます。

天井に吊るされているのは折り紙構造の照明。

1. 1階にあるカフェ。鳥取からとり寄せたコーヒー豆を挽いたブレンドなどがおすすめ。
2. ライブや舞台などのイベントも不定期に開催、写真は映画企画の様子。

**HAGISO**
はぎそう
**台東区谷中 3-10-25**

- モーニング 8:00 ～ 10:30
  12:00 ～ 20:00
  (カフェ L.O.19:00)
- 休　月曜
- ¥　入館料無料
- JR 日暮里駅から徒歩 5 分
  東京メトロ千代田線千駄木駅から徒歩 5 分
- https://hagiso.com/

# 旧岩崎邸庭園

階段ホールの柱に注目。つるを巻いたような装飾は、ジャコビアン様式の特徴のひとつ。

## 日本洋館を代表する財閥の元邸宅

本郷台の日当たりよい台地に、三菱財閥を築き上げた岩崎彌太郎の長男であり、3代社長となる久彌が、本邸として1896年に建てた岩崎邸があります。現在は、洋館・撞球室（ビリヤード室）・和館の3棟が残る庭園として公開されています。三菱一号館美術館も設計したジョサイア・コンドルが手掛けた洋館は、17世紀のイギリスで生まれたジャコビアン様式を基調に細部まで繊細につくり上げた豪華絢爛なもの。

この洋館とつながった和館や、山小屋風でありながら、金唐革紙を用いた壁紙が優雅な撞球室も、細部まで見ていて飽きない空間です。和館の座敷の一部はお茶席になっており、この豪華な空間で一服できるのがうれしい。

1. 和館の長い濡縁が美しい。
2. 切妻屋根が素敵なビリヤード室。実は洋館と地下通路でつながっている。

**旧岩崎邸庭園**
きゅういわさきていていえん
台東区池之端 1-3-45

- 03-3823-8340
- 9:00～17:00（入館は閉館30分前まで）
- 休 年末年始
- ¥ 一般 400 円ほか
- 東京メトロ千代田線湯島駅から徒歩3分
- https://www.tokyo-park.or.jp/park/format/index035.html

和館では抹茶や和菓子などを堪能できる。金唐紙しおりなどのグッズも販売。

small museums in Tokyo

2

# 銀座・丸の内エリア

Ginza, Marunouchi

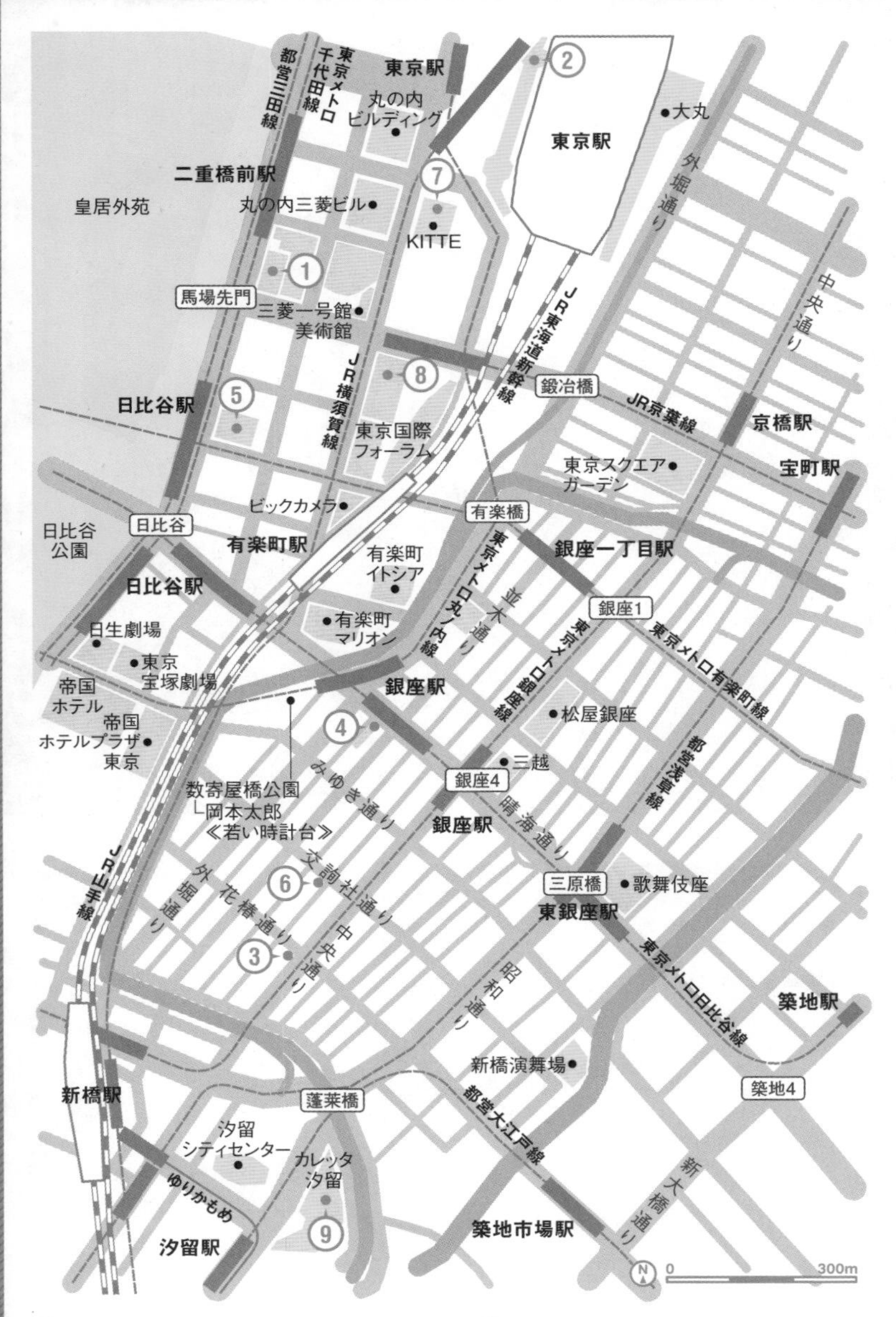


① 静嘉堂文庫美術館
② 東京ステーションギャラリー
③ 資生堂ギャラリー
④ 銀座メゾンエルメス フォーラム
⑤ 出光美術館
⑥ ギンザ・グラフィック・ギャラリー
⑦ JPタワー学術文化総合ミュージアム「インターメディアテク」
⑧ 相田みつを美術館
⑨ アドミュージアム東京

丸紅ギャラリー (map p.24)

展示内容によって、開館時間や入館料金が異なることがあります。
お出かけ前に、各館の公式ウェブサイトなどをご確認ください。

# 静嘉堂文庫美術館

重要文化財に指定された明治生命館のつくりをいかした展示空間。

## 岩﨑家ゆかりの土地に移転
## 愛称は「静嘉堂@丸の内」

三菱2代社長・岩﨑彌太郎（やたろう）、そして4代社長の小彌太（こやた）親子が収集した、東洋古美術品を展示する同館は、1992年に世田谷区岡本に開館。2022年に東京きってのオフィス街・丸の内の重要文化財建築、明治生命館内に移転オープンしました。世界に3つしか存在が確認できていない国宝《曜変天目（稲葉天目）》をはじめ、約6500件の収蔵品を、さまざまな切り口の企画展で展示しています。

入館料なしでも利用できるミュージアムショップでは、ピンズやぬいぐるみなどオリジナルグッズが充実。丸の内のお買い物スポットとしても注目です。

エレベーター表示板や竣工当時から使われていた時計もそのまま残されている。

1. 国宝《曜変天目（稲葉天目）》南宋時代（12 ～ 13 世紀）の展示スケジュールは事前に確認しておくのがベスト。
2. 「響きあう名宝ー曜変・琳派のかがやきー」展（2022 年 10 月 1 日～ 12 月 18 日）の展示風景。撮影：木奥惠三
3. エレベーターは扉に注目。銅板に木目模様が手描きされている。
4. カラフルな台紙もかわいい。バラエティ豊かなピンズ(800円)。

## 静嘉堂文庫美術館

せいかどうぶんこびじゅつかん

千代田区丸の内 2-1-1
明治生命館 1 階

- 050-5541-8600（ハローダイヤル）
- 10:00 ～ 17:00
（金曜～18:00、
入館は閉館の30分前まで）
- 月曜（祝日の場合は翌日）、
年末年始、展示替え期間
- 一般 1500 円ほか
- 東京メトロ千代田線二重橋前〈丸の内〉駅
3 番出口直結
JR 東京駅・有楽町駅から徒歩 5 分
- https://www.seikado.or.jp/

美術館が入っている明治生命館外観。

### グッズへのこだわり

試作を繰り返してようやく完成。国宝がさわり放題、「ほぼ実寸の曜変天目ぬいぐるみ」（5,800 円）。

# 丸紅ギャラリー

日本で唯一のボッティチェリ作品≪美しきシモネッタ≫などを所蔵。写真上は「ボッティチェリ特別展　美しきシモネッタ」の展示風景(2022年12月1日～2023年1月31日)。

1 エントランスには丸紅の歴史がわかるパネルや社是なども展示。

## 着物や染織品から絵画作品まで商社が集めた美術コレクション

日本を代表する総合商社、丸紅の本社ビル内にあるギャラリーです。日本で唯一のボッティチェリ作品《美しきシモネッタ》をはじめ、コレクションは約1300点。丸紅の前身の丸紅商店が収集した「きものやそのほかの染織品」、竹内栖鳳ら一流の芸術家に考案してもらった「染織図案」、そして丸紅が1970年代に展開していたアートビジネスで集めた「西洋画」を中心に構成されています。展覧会は年に約3回、「古今東西の美が共鳴する空間」をコンセプトに開催されます。

コレクションはもちろん、展覧会ごとに大きく変わる展示空間も魅力的です。

展覧会ごとにコンサートや講演会などのイベントも開催される。

**丸紅ギャラリー**
まるべにぎゃらりー
千代田区大手町 1-4-2
丸紅ビル 3 階

03-3282-2111

10:00 ～ 17:00
(入館は閉館の30分前まで)

休 日曜、祝日、年末年始、展示替え期間

一般 500 円ほか

東京メトロ東西線竹橋駅から徒歩 1 分
東京メトロ千代田線大手町駅から徒歩 6 分

https://www.marubeni.com/gallery/

# 東京ステーションギャラリー

復原されたドーム天井から吊るされたアールデコ調シャンデリアは、移転前の美術館時代から使用されていたもの。

1　2階展示室。壁のレンガには漆喰が塗られた跡や配管を通した跡も残っている。

2　らせん階段周辺は写真撮影が可能。

3　3階展示室。当時の設計図どおりに復原された八角形の小部屋も展示室として使われている。

## レンガが歴史を物語る エキナカ美術館

100年の歴史を刻む東京駅丸の内駅舎は、辰野金吾（たつのきんご）設計の歴史ある建造物。重要文化財にも指定されています。その建物のなかに、この美術館はあります。第二次世界大戦時に焼失したドーム屋根と3階部分を元に戻す保存・復原工事が完了した2012年より現在の場所で展示を行っています。現在は、近代美術を中心に、現代アートから鉄道、建築、デザインまで幅広いテーマで展覧会を開催しています。美術館はまず1階から3階へ上がり、下がりながら見ていく順路構成。3階は白い壁と天井で囲まれた現代的な空間となっています。

### 空間へのこだわり

釘などを打つために、レンガの壁にはめ込まれた木レンガが空襲で炭化し、黒いこげを残した。築100年の歴史を目の前で感じられる。

休憩室からは、丸の内の高層ビルの風景が眺められる。金曜日は20時まで開館してるので夜景も。

## いろいろな角度から駅の魅力も再発見

壁の構造レンガを間近に見ながら下階へ降ると、展示室の雰囲気ががらりと変わります。2階展示室はレンガ壁を可能な限り残し、独特の風合いをいかした空間に。この空間の違いも楽しみたいもの。そして、休憩室を通って自動ドアを抜けると現れるのは、開放感あふれる東京駅丸の内北口のドーム。この広がりある光景もとても心地よいものです。回廊を通るとショップ「トレニアート」があります。「鉄道をもっと楽しむ」がコンセプトのショップには、オリジナルグッズも多数揃っています。ギフトにもうれしい！

東京駅の外観をモチーフとした「クリアファイル東京駅丸の内駅舎」はA4ブルーとA5ピンクの2サイズ・カラー。

夕焼けに映える東京駅舎を表現した「TRAINIART×にじゆら手ぬぐい東京駅夕焼け」。

### 東京ステーションギャラリー

とうきょうすてーしょんぎゃらりー

**千代田区丸の内 1-9-1**

- ☎ 03-3212-2485
- 10:00 ～ 18:00（金曜～20:00、入館は閉館 30 分前まで）
- 休 月曜（祝日の場合は翌平日）、年末年始、展示替え期間
- ¥ 展示内容により異なる
- JR 東京駅丸の内北口改札前
- https://www.ejrcf.or.jp/gallery/

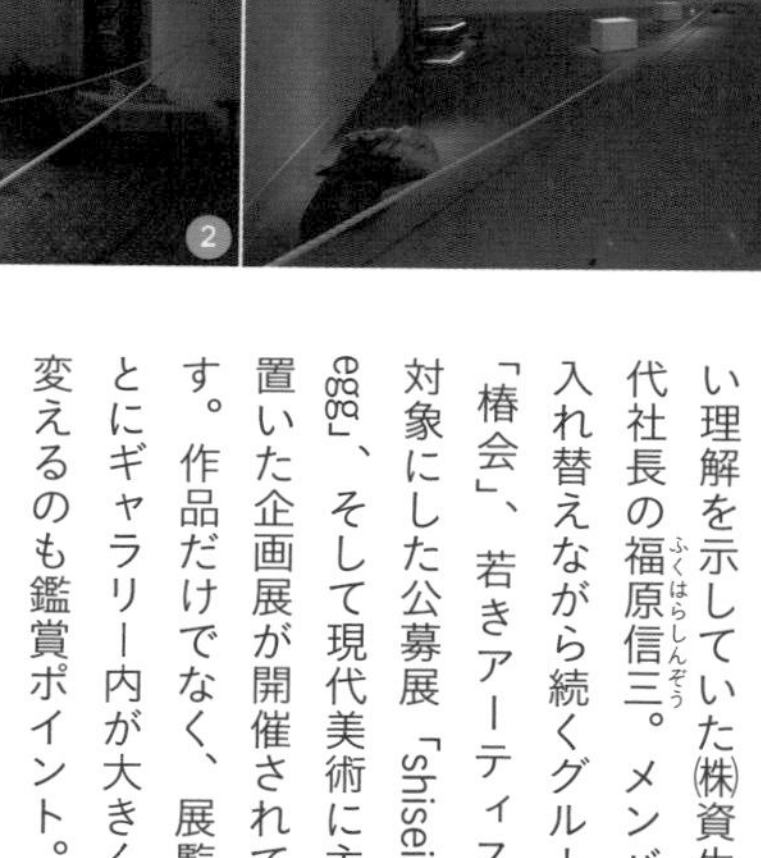

❶❷ギャラリーを代表するグループ展「第八次椿会　ツバキカイ 8　このあたらしい世界 2nd SEASON “QUEST”」の展示風景（2022年8月27日〜12月18日開催）。
❶❷とも撮影：加藤健

# 資生堂ギャラリー

## 化粧品メーカーの誇るギャラリー

オープンは1919年、日本に現存する画廊のなかでも長い歴史を持つギャラリー。創設者は自らも写真を撮り、芸術に深い理解を示していた㈱資生堂初代社長の福原信三（ふくはらしんぞう）。メンバーを入れ替えながら続くグループ展「椿会」、若きアーティストを対象にした公募展「shiseido art egg」、そして現代美術に主軸を置いた企画展が開催されています。作品だけでなく、展覧会ごとにギャラリー内が大きく姿を変えるのも鑑賞ポイント。高い天井や吹き抜けをいかしてギャラリー内に部屋をつくる作家もいれば、大きな壁にちいさな小品をランダムに並べて見せる作家もいて、空間の使い方は千差万別。何回も訪れて、その違いも楽しみましょう。

ギャラリー入口の階段から見える「第八次椿会　ツバキカイ 8　このあたらしい世界 2nd SEASON “QUEST”」の展示。
撮影：加藤健

**資生堂ギャラリー**
しせいどうぎゃらりー

中央区銀座 8-8-3
東京銀座資生堂ビル
地下 1 階

☎ 03-3572-3901

🕒 11:00〜19:00
（日曜・祝日〜18:00）

休 月曜

¥ 入館料無料

🚉 東京メトロ銀座線銀座駅・新橋駅から徒歩 4 分
JR 新橋駅から徒歩 5 分

🌐 https://gallery.shiseido.com/jp/

# 銀座メゾンエルメスフォーラム

## 高級メゾンのフラッグシップ店で アートを楽しむ

銀座4丁目から晴海通りを有楽町方面に進むと見えてくるのが、ガラスブロックに覆われた建物。建築家レンゾ・ピアノさんによるビル、メゾンエルメスです。ガラスブロックを透過する光は昼夜ともにロマンティック。ここの8・9階のアートギャラリーは、エルメスとアーティストが共に創造する空間です。現代美術を中心に、国内外のアーティストによるバラエティ豊かな展覧会が開催されています。入館無料なので、気に入ったら何度でも訪問してみて。1階のウィンドウでもアーティストやデザイナーの手がけたディスプレイを楽しめます。入口から最上階まで見どころ満載な場所です。

1 ジュリオ・ル・パルクの日本での初個展「Les Couleurs en Jeu　ル・パルクの色 遊びと企て」の展示風景。
© Nacása & Partners Inc./Courtesy of Fondation d'entreprise Hermès

2 「訪問者」クリスチャン・ヒダカ＆タケシ・ムラタ展。
© Nacása & Partners Inc. /Courtesy of Fondation d'entreprise Hermès

3 銀座店のウィンドウディスプレイ。シモーネ・ポストによるマシュマロでつくられた世界「Living in Lightness（軽やかな暮らし）」。
© Satoshi Asakawa/Courtesy of Hermès Japon

**銀座メゾンエルメスフォーラム**
ぎんざめぞんえるめすふぉーらむ
**中央区銀座 5-4-1 8 階**

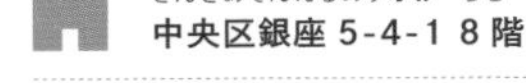

03-3569-3300

11:00 ～ 19:00（入館は閉館 30 分前まで）

休 展示期間はウェブサイトを要確認

¥ 入館料無料

東京メトロ銀座線銀座駅から徒歩1分、JR 有楽町駅から徒歩 6 分

http://www.maisonhermes.jp/ginza/

銀座メゾンエルメスの外観。
© Nacása & Partners Inc

# 出光美術館

国宝2件、重要文化財57件を含む約1万件を収蔵。仙厓和尚の禅画コレクションは国内最大級。

1 陶片室は一見の価値あり。出土時のままの陶片を見ることができる。

2 東京の中心でありながら、広い空を眺められる。夕暮れどきは絶景！

## 日本美術の名品が揃う お堀沿いの美術館

皇居のお堀に面した帝劇ビル9階にある美術館。出光興産の創業者である出光佐三が長年にわたってコレクションした日本の書画、中国・日本の陶磁器などの東洋古美術を中心に保存しています。企画展のほか、陶磁器の破片を集めた陶片室、谷口吉郎設計の落ち着きある茶室、宗教画で知られるジョルジュ・ルオーなど洋画作品の展示室もあり見どころは尽きません。さらに、休憩ロビーからの眺望も必見。四季折々で表情を変えていく自然豊かな皇居を見渡せる、東京の中心地ならではの風景です。ショップでは、ユーモラスな画風で人気の仙厓和尚のオリジナルグッズも充実しています。

**出光美術館**
いでみつびじゅつかん
千代田区丸の内 3-1-1
帝劇ビル 9 階
※ 2025 年をめどに、帝劇ビルは建替計画に伴い閉館予定

050-5541-8600
(ハローダイヤル)

10:00 ～ 17:00
(入館は閉館 30 分前まで)

休 月曜（祝日の場合は開館し翌日休館）、年末年始、展示替え期間

¥ 一般 1200 円ほか

JR 有楽町駅から徒歩 5 分
東京メトロ有楽町線有楽町駅から徒歩 3 分
都営地下鉄三田線日比谷駅から徒歩 3 分ほか

http://idemitsu-museum.or.jp/

展覧会ごとに商品の内容を変えているので、来るたびに違ったグッズに出合えるミュージアムショップ。

# ギンザ・グラフィック・ギャラリー

2022年12月から翌年1月まで開催された「宇野亞喜良 万華鏡」の展示風景。

① 恒例でもある広告の「日本のアートディレクション展」。多様に進化するグラフィックデザインを、わかりやすく展示している。

② 「日本のアートディレクション展」では日本の広告の今を知ることができる。

## グラフィックデザインといえばここ

個性豊かなギャラリーが軒を連ねる街、銀座。グラフィックデザインを専門にするのがこちらのギャラリー。「ggg」の愛称で親しまれています。大日本印刷㈱の文化活動の一環として1986年のオープン以来、新旧を問わず、国内外のデザイナーやデザインを対象にした企画展を実施。その数すでに390回以上。ポスターやパンフレット、パッケージなど展示される作品はもちろん、最新の印刷技術、心を震わせる言葉、驚くような写真など、展覧会ごとに注目ポイントが変わるのがおもしろい点。第1回企画展からアーカイブ化されウェブで記録を見られるのもうれしい。

ギャラリーは交詢社(こうじゅんしゃ)通りにある。

**ギンザ・グラフィック・ギャラリー**
ぎんざ・ぐらふぃっく・ぎゃらりー

中央区銀座7-7-2
DNP銀座ビル1階

- ☎ 03-3571-5206
- 11:00～19:00
- 休 日曜、祝日
- ¥ 入館料無料
- 東京メトロ銀座線・日比谷線・丸ノ内線銀座駅から徒歩5分
- https://www.dnpfcp.jp/gallery/ggg/

写真すべて：藤塚光政

# JPタワー学術文化総合ミュージアム「インターメディアテク」

常設展示内にあるミンククジラ骨格標本。

## 丸の内に佇む大学の博物館

東京駅丸の内南口で日本郵便㈱が運営する商業施設、KITTE内にある公共貢献施設。日本郵便と東京大学総合研究博物館が協働で運営しています。ここには、東京大学が1877年の創学以来蓄積してきた学術標本、動物の骨格標本や鉱物の結晶、はたまた赤瀬川原平の《零円札》など、ありとあらゆるものが陳列されています。趣きある展示ケースやキャビネットは実際に東大で使われていたものをそのまま使用していたり、「リデザイン」という内装コンセプトに合わせて加工して創り上げ

こだわりポイント

### グッズへのこだわり

サプリメントや化粧品など東京大学が開発した商品を購入できるのが同施設の売り。とくに「アミノ酸系サプリメント」は発売以来、さまざまなメディアでも紹介されてきたヒット商品。

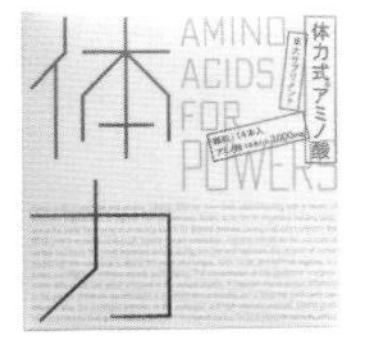

オリジナル商品マグカップ（写真左）と「東大サプリメント 体力式（顆粒）」。このほか、ゼリータイプの体力式や「乾杯式」などもある。

❶ 最初に足を踏み入れる白を基調としたホワイエ展示風景。階段横にいるのはマチカネワニの骨格標本。

❷ 2階常設展示は、奥行きなんと66メートル！窓の外には東京駅の駅舎が見え、オーセンティックな空間。

❸ ブティックではアート作品などのセレクトグッズも。

たものだとか。

この場所はもともと東京中央郵便局の旧局舎で、展示室もかつては郵便の集配業務や仕分け部屋として使用されていました。この過去の「場」や「もの」を現在、未来へつなげていくというのもコンセプトのひとつです。常設展示をメインに、特別展示やイベント、教育プログラムも開催。オリジナルグッズなどを販売するブティックもあり、入館無料とは思えない優雅な空間です。

レクチャーやセミナーで活用されるインターメディアテク・アカデミア。東京大学医学部の教室の一部を再現。

**JPタワー**
**学術文化総合ミュージアム**
**「インターメディアテク」**
じぇいぴーたわーがくじゅつぶんかそうごうみゅーじあむ「いんたーめでぃあてく」

千代田区丸の内 2-7-2
JP タワー／ KITTE 2・3 階

050-5541-8600（ハローダイヤル）

11:00 ～ 18:00（金・土曜～20:00）

休 月曜（祝日の場合は翌日）、年末年始、その他館が定める日

¥ 入館料無料

JR 東京駅から徒歩 1 分
東京メトロ丸ノ内線東京駅地下道から直結

http://www.intermediatheque.jp

# 相田みつを美術館



1 第2ホールにはみつをのアトリエも再現。書き損じの作品が山積みに。

2 鑑賞後には館内にあるカフェで一服。

## 自分と向かい合える美術館

東京国際フォーラム内にある、書家で詩人の相田みつをの作品を展示する美術館です。断片的に語られがちなみつをの書と詩について、成り立ち、人生を含めてトータルに解説・展示されています。

新進の書家として将来を嘱望されていたみつをが、自分の言葉・自分の書を求め、独自の世界を開拓するまでの経緯を知ると、作品を見て感じることが変わってくるかもしれません。年に3回のペースで開催される企画展では、テーマに沿った書が展示されています。

館内は、みつをがかつて散策していた栃木県足利市の八幡山古墳群をイメージしたもの。館内のいたるところにベンチがあり、思いのままに休憩をとれます。出口そばにはカフェも設置。きらめく言葉の余韻にひたれる場所です。

**相田みつを美術館**
あいだみつをびじゅつかん

**千代田区丸の内 3-5-1**
**東京国際フォーラム地下1階**

☎ 03-6212-3200

10:00 ～ 17:00
（入館は閉館 30 分前まで）

休 月曜（祝日の場合は開館）

¥ 一般 1,000 円ほか

JR 有楽町駅から徒歩 3 分
東京メトロ日比谷線日比谷駅・銀座駅から徒歩 5 分

https://www.mitsuo.co.jp

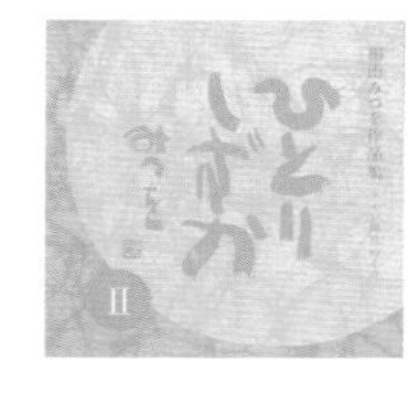


豊富なグッズのなかでも一押し！「トイレ用日めくり ひとりしずかII」。累計200万部を超えるロングセラー第2弾。

# アドミュージアム東京

## 時代を映す広告から新しい発見を

ポスターや雑誌広告など貴重な資料を鑑賞できる。デジタル化された資料も豊富。

1 時代を彩った広告を眺めていると、懐かしい気持ちでいっぱいになる。

2 視聴ブースでは、テレビCMなどを見ることができる。

広告をテーマにした博物館。タレント広告やSNSの原点ともいえる江戸時代の広告、社会課題に果敢に取り組んだ現代の広告まで、約33万点の収蔵資料から選りすぐりの広告を常設展示するほか、国内外のクリエイティブ・アワードの受賞作品展など企画展も行われています。懐かしい広告を見て笑ったり、感動したり、新しいアイデアに驚いたり……時代を超えて人々の心を動かしてきた広告の面白さ、奥深さに出合えます。ライブラリーでは、広告・マーケティングに関する専門図書、デジタルアーカイブの検索・閲覧もできます。

**アドミュージアム東京**
あどみゅーじあむとうきょう

港区東新橋 1-8-2
カレッタ汐留地下2階

☎ 03-6218-2500

12:00 ～ 18:00

休 日・月曜、臨時休館日

¥ 入館料無料

JR・東京メトロ銀座線
新橋駅から徒歩5分
都営地下鉄大江戸線
汐留駅から徒歩2分

https://www.admt.jp

広告の専門ライブラリーも館内に併設。

グッズは豊富に揃う。広告をモチーフにしたポストカードやマグネット、缶バッチ、和紙風クリアファイルなど。

# 印刷博物館

印刷に関する文化をあらゆる面から楽しめる印刷博物館は、大人向けのワークショップも充実。工房見学や活版印刷をじっくり体験してみましょう。

## 印刷の奥深さに触れる機会がたくさん

世界各地の印刷に関するコレクションを収蔵している同館は、展示だけでなく、活版印刷の保存と伝承や研究活動にも力を入れています。館内の印刷工房では、500年にわたる活版印刷の歴史を体感できるワークショップを開催。

## 活版印刷ワークショップ

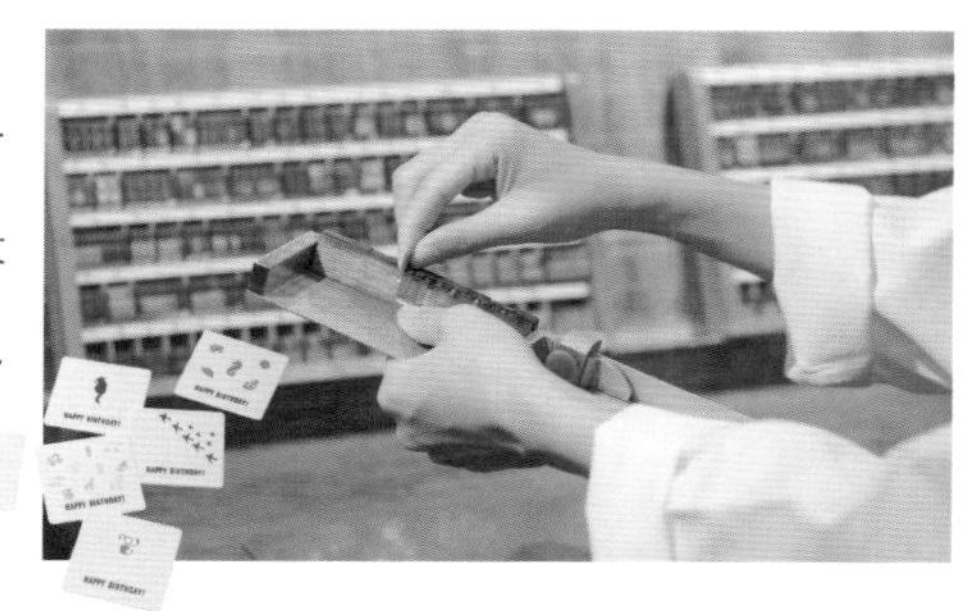

実際に活字を組んで、メッセージカードやコースターを作る活版印刷ワークショップは、使う活字を専用棚から選び出し、版にする作業「文選・植字」、そして印刷するまでの流れをひととおり体験できます。活字の重さ、紙やインキの匂いなど、細かいところまでおもしろい。自分だけのオリジナルグッズを印刷！（事前予約制）

## 大人向けワークショップも

博物館のワークショップは小学生向けのものが多いけれど、同館では活版印刷をもっと知りたい人のために、「大人のための活版ワークショップ」を実施。和紙の名刺づくりなど毎年変わるラインナップは、紙好き・印刷好きには心惹かれるものばかり。事前申込制（抽選）なので、HPでスケジュールをチェックしましょう。

### 展示室もチェック！

凸版印刷（株）百周年記念事業として2000年に開館。常設展では現存する世界最古の印刷物「百万塔陀羅尼」をはじめ、古今東西の印刷関連資料、約7万点ものコレクションから厳選された約300点を展示。

**印刷博物館**
いんさつはくぶつかん
文京区水道1-3-3
トッパン小石川本社ビル

03-5840-2300

10:00～18:00
（入館は閉館30分前まで）

月曜（祝日の場合は翌日）、年末年始、展示替え期間

一般400円ほか（大人向けワークショップは別途料金）

東京メトロ有楽町線
江戸川橋駅から徒歩8分
東京メトロ丸の内線
後楽園駅から徒歩10分

https://www.printing-museum.org/

① ヨックモックミュージアム
② 太田記念美術館
③ 岡本太郎記念館
④ 紅ミュージアム
⑤ 根津美術館
⑥ ワタリウム美術館
⑦ スパイラルガーデン
⑧ エスパス ルイ・ヴィトン東京

遊びに来てね！

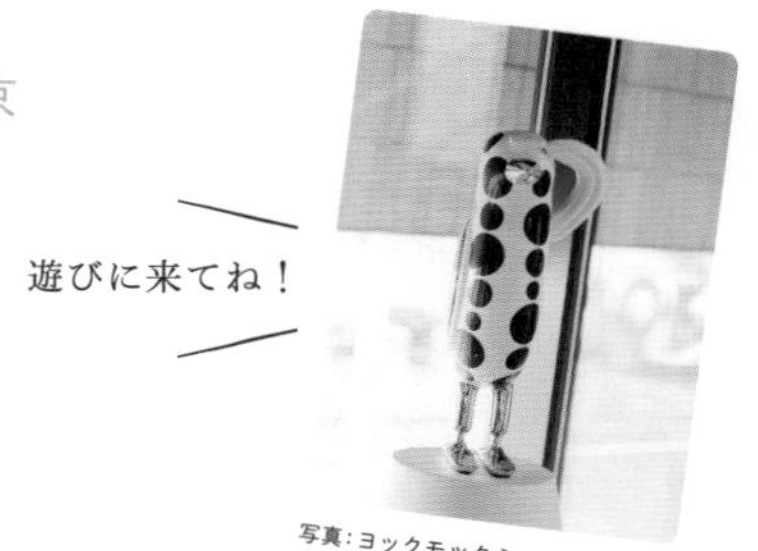

写真：ヨックモックミュージアム（ハイメ・アジョンの作品）

展示内容によって、開館時間や入館料金が異なることがあります。
お出かけ前に、各館の公式ウェブサイトなどをご確認ください。

# ヨックモックミュージアム

ピカソのセラミック作品54点を壁一面に展示。

1 照明が落とされた地下の企画展示室では静かに作品と対峙することができる。

2 ピカソのアトリエをイメージしたフォトスポット。愛用品に似たチェアでポーズをとってみて！

3 2階には常設展と、マティスやピカソなどのコレクションも展示。やわらかな自然光での展示にこだわったという。

4 ピカソ関連の書籍を中心に集めたライブラリー。ワークショップも不定期で開催。

## 世界有数、ピカソ制作のセラミックコレクション

東京・南青山の閑静な住宅地に2020年に開館した同館は、バターが香る焼菓子「シガール」で知られるヨックモックホールディングスの会長、藤縄利康（ふじなわとしやす）さんが自ら選んだ500点余のコレクションを収蔵しています。コレクションの大半を占めるのは巨匠パブロ・ピカソが職人と共に制作したセラミック作品で、企画展ではさまざまな切り口で、常設展では陽光が三方から降り注ぐ展示室で楽しめます。また、外観を印象付ける青い屋根瓦は、ピカソがセラミック制作に熱中した南仏コートダジュールの伝統的な形を受け継いだものです。

### 空間へのこだわり

館内のサインはすべてセラミック製で、空間に合わせた色づかいもポイント。廣村デザイン事務所がデザインし、京都の陶芸家である荒木漢一さんが制作した。

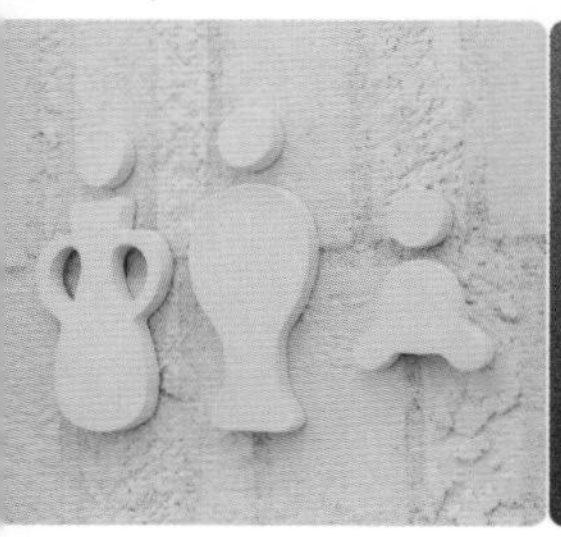

1. 入場券を購入しなくても利用 OK。1 階のカフェ「カフェ ヴァローリス」。
2. チキンとサーモンの 2 タイプから選べるクラブハウスサンドセット（1,800 円）。
3. ガラスケースのなかも、ちいさな美術館。プチサイズのミニャルディーズも充実。
4. 子どもも楽しめる体験型カフェメニュー「art for café」（1,650 円）。

## アートを身近に感じられるカフェやライブラリーも

地下から2階までの作品を楽しんだら、カフェやライブラリー、ショップへ。こちらもピカソやアートを楽しめる工夫が凝らされています。「art for café」は、セットの色鉛筆でコースターを自由に彩る体験ができるカフェの人気メニュー。心の赴くままに色鉛筆を走らせれば、世界にひとつだけの作品ができあがり。アートのように美しいミニャルディーズや、クラブハウスサンドイッチとともに楽しみましょう。世界中の人々から愛されているヨックモックの「プティ・シガール」は、この美術館だけのオリジナルデザイン。ギフトに大人気です。

ピカソ制作のポスターをあしらったオリジナルデザイン缶（1,350 円）。

### ヨックモックミュージアム
よっくもっくみゅーじあむ

港区南青山 6-15-1 ヨックモックミュージアム

- ☎ 03-3486-8000
- 10:00 ～ 17:00（入館は閉館の 30 分前まで、カフェ L.O. は閉店の 30 分前まで）
- 休 月曜、年末年始、展示替え期間
- ¥ 一般 1200 円ほか
- 東京メトロ銀座線・千代田線・半蔵門線表参道駅から徒歩 9 分
- https://yokumokumuseum.com/

# 太田記念美術館

葛飾北斎の娘・応為による《吉原格子先之図》。西洋画のような明暗表現を用いている。

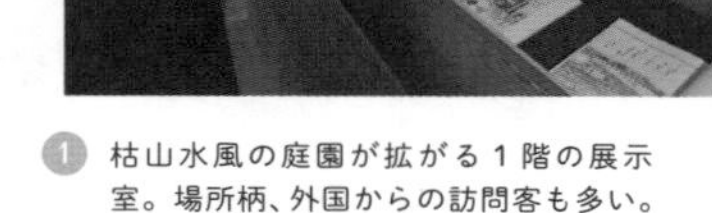

① 枯山水風の庭園が拡がる1階の展示室。場所柄、外国からの訪問客も多い。

② 2階展示室は、吹き抜けになっている。

## 江戸時代のポップな大衆文化、浮世絵を若者の街、原宿で

若者が集う街、原宿に建つ浮世絵専門の美術館です。コレクターであり、実業家の五代太田清藏(おおたせいぞう)が戦前から収集した1万2000点以上におよぶコレクションが礎となっており、絵師、ジャンル、モチーフなどさまざま切り口で浮世絵を紹介する展覧会が開催されています。専門館ならではの視点で、浮世絵の魅力を発信しているSNSが人気です。展示を見る前に、鑑賞のポイントをチェックしてみてはいかが。

浮世絵はデリケートなため展示期間が短く、有名作品に必ず出合えるとはかぎりません。けれども、それは常に新しい銘品と出合えるチャンスといえます。自分だけのお気に入りジャンル、お気に入り絵師を見つけてみてください。

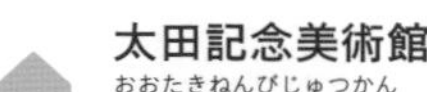

**太田記念美術館**
おおたきねんびじゅつかん
渋谷区神宮前 1-10-10

- ☎ 050-5541-8600（ハローダイヤル）
- 10:30 ～ 17:30（入館は閉館 30 分前まで）
- 休 月曜（祝日の場合は翌日）、年末年始、展示替え期間
- ¥ 展示内容により異なる
- JR 原宿駅から徒歩 5 分 / 東京メトロ千代田線・副都心線 明治神宮前駅から徒歩 3 分
- http://www.ukiyoe-ota-muse.jp

同じ建物には人気のてぬぐいショップ「かまわぬ」も。

# 岡本太郎記念館

床には飛び散った絵の具が残り、今も太郎が生きているかのようなアトリエ。イーゼルにかけられた作品は時期によって変更する。

1 応接や打ち合わせに使われていたサロン。太郎デザインの調度品がずらりと並んでいる。

2 企画展では、さまざまな切り口で太郎をクローズアップ。展示は年3回ほど変わり、その都度、新しい空気感を生み出している。

3 ベランダから《太陽の塔》が顔を出し、お出迎え！

4 ワサワサの植物のなかにちいさな作品が隠れていることも……。

## 珠玉の作品、言葉が生まれた芸術家の館

《太陽の塔》や《明日の神話》などの作品のみならず、芸術や人間の価値観に関してするどく切り込む著作を多く残し、現在もファンを増やし続けている芸術家、岡本太郎。同館は彼とパートナーの敏子が暮らした自宅兼アトリエを改装した記念館。設計は太郎の友人でル・コルビュジエの弟子、神奈川県立近代美術館を設計したことでも知られる坂倉準三(さかくらじゅんぞう)。大きな吹き抜けのある建物の1階は、サロンとアトリエスペースとして生前のままに公開され、2階の展示棟は年間を通して多彩な企画展が行われています。太郎の息づかいを、ぜひ感じてみてください。

### グッズへのこだわり

オリジナルグッズが並ぶミュージアムショップ。行くたびに新商品が登場する。太郎作品のフィギュアも人気。

隣接カフェの「a Piece of Cake」から太郎の庭を眺めつつ。パンケーキも人気のメニュー。

## 生命力あふれる緑と作品がせめぎ合う庭

館内と同じくらいおもしろいのが、かつて太郎が彫刻を彫っていたという庭園。実は太郎、花や手入れされた植木が大きらい。そのため、広い庭園のなかはツタやバショウなど、ワイルドな植物でいっぱい。記念撮影スポットに人気の《乙女》や大型作品も豊富。隣接するカフェ「a Piece of Cake」では、料理研究家の大川雅子さんが手掛けたお菓子を味わえます。店内はアメリカの50〜60年代の家具や食器で統一。記念館の入館料なしでも利用できます。庭園を眺めながら心地よいひとときをどうぞ。

1年以上漬け込まれたフルーツと一緒に味わう定番のチーズケーキ。

### 岡本太郎記念館

おかもとたろうきねんかん

港区南青山 6-1-19

- 03-3406-0801
- 10:00 〜 18:00（入館は閉館 30 分前まで）
- 休 火曜（祝日の場合は開館）、年末年始、展示替え期間
- ¥ 一般 650 円ほか
- 東京メトロ銀座線・半蔵門線・千代田線表参道駅から徒歩 8 分
- http://taro-okamoto.or.jp

**a Piece of Cake**

03-5466-0686

11:00 〜 17:30 (L.O.17:00)　休 火・水曜

1954年に建設。ブロック積みの壁の上に凸レンズの形の屋根というインパクトのある外観。

紅づくりの技と、古代から近現代までの日本の化粧史を知ることができる展示室。

1 近現代のレトロコスメからは、デザインの変遷のみならず、当時の産業の背景も見えてくる。

2 自然乾燥した紅は緑がかった玉虫色に輝く。水で必要な分だけ溶いて使用する。

## 紅と日本の化粧文化・歴史を知る

青山の骨董通りにあるのが、文政年間より続く紅屋、伊勢半本店が運営する同施設。「紅」とは紅花からつくられる口紅のこと。伊勢半本店では古来の製法で、紅をつくり続けています。その製法は口伝のみでしか伝えられず、現在の職人はわずか2名とのこと。同施設ではその紅づくりの工程を紹介するほか、紅や化粧にまつわる文化や風俗の展示を行っています。

螺鈿（らでん）や漆で彩られた江戸時代のちいさな化粧道具は今見ても愛らしいものです。また、コミュニケーションルームでは江戸時代から続く伝統の口紅「小町紅」の試しづけ体験をどうぞ。唇の色によって発色する色みが変わる紅、その美しさと心地よさも堪能できます。

**紅ミュージアム**
べにみゅーじあむ
**港区南青山 6-6-20**
**K's 南青山ビル 1 階**

- 03-5467-3735
- 10:00 ～ 17:00（入館は閉館30分前まで）
- 休 日・月曜、創業記念日（7月7日）、年末年始
- ¥ 入館料無料　※企画展は有料
- 東京メトロ銀座線・半蔵門線・千代田線 表参道駅から徒歩 12 分
- https://www.isehanhonten.co.jp/museum/

中国古代の青銅器の展示室。その美しさを際立たせる照明とケースは特別製。

# 根津美術館

## 世界も注目する東洋古美術の美術館

同館は日本や東洋の古美術品を保存、展示するための美術館。東武鉄道などの社長を務めた実業家、根津嘉一郎のコレクションをもとに創設されました。所蔵は多岐にわたり、尾形光琳の《燕子花図屏風》や、《那智瀧図》などの国宝7件を含む約7600件。それぞれテーマが設定された6つの展示室において名品が紹介されています。

大きな屋根とアプローチが印象的な建物は、国内外で評価の高い建築家・隈研吾さんの設計。入口に足を踏み入れたとき、ガラス越しに目に飛び込んでくる庭園は壮観です。起伏に富んだ地形や湧水をいかした庭園には、さまざまな見どころも用意されており、燕子花の咲く時期、紅葉の時期など季節に応じて表情を変えていきます。庭園内にあるカフェ、「NEZUCAFÉ」はガラス越しに庭園が眺められる気持ちのよい場所。ショップにはギフトにも最適なオリジナルグッズが揃っています。

庭園の緑と光を眺められるエントランスホール。ここは写真撮影も可。

① 池のなかに据えられた「吹上の井筒（ふきあげのいづつ）」。『伊勢物語』に思いをはせる。

② 深い軒先と竹の生け垣が織りなす約40メートルのアプローチ。

③ 庭園の茶室、弘仁亭（こうにんてい）の前の池には、4月半ば～5月はじめに燕子花が咲き誇る。

こだわりポイント

### 空間へのこだわり

正面からの静謐なアプローチ、庭園の見えるエントランスホール、そして高さを低く抑えた建物。にぎやかな表参道の環境となだらかに調和することをコンセプトとして設計されたもの。

**根津美術館**
ねづびじゅつかん
**港区南青山 6-5-1**

- ☎ 03-3400-2536
- 10:00～17:00（入館は閉館30分前まで）
- 休 月曜（祝日の場合は翌日）、年末年始、展示替え期間
- ¥ 特別展一般 1500円ほか ※2023年現在、オンライン予約制
- 東京メトロ銀座線・半蔵門線・千代田線表参道駅から徒歩8分
- https://www.nezu-muse.or.jp

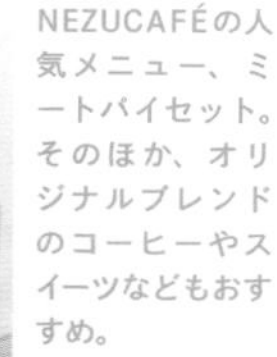

NEZUCAFÉの人気メニュー、ミートパイセット。そのほか、オリジナルブレンドのコーヒーやスイーツなどもおすすめ。

重要文化財の名品茶入の仕覆に使われている「龍三爪緞子（りゅうさんそうどんす）」を忠実に再現した名刺入れ。赤、金、銀の3色がある（写真右）。

尾形光琳の名作《燕子花図屏風》をモチーフにしたオリジナルグッズも人気。写真奥からグリーティングカード、そば猪口、お香。

# ワタリウム美術館

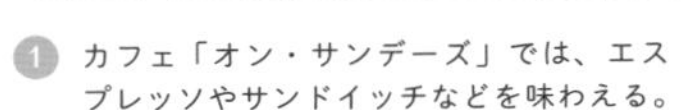

ゆるやかならせん階段を下りると、天井までびっしりと本の詰まったフロアに。各界の専門家も頼るほど専門性が高い。

1 カフェ「オン・サンデーズ」では、エスプレッソやサンドイッチなどを味わえる。

2 「ルドルフ・シュタイナー展　天使の国」（2014年3月23日〜8月23日）の展示風景。

## 初心者も上級者も現代アートならここへ

外苑西通り（通称・キラー通り）の高台の上にある同館は、国内外のコンテンポラリーアートを中心に、さまざまな展覧会を企画、開催しています。テーマは多岐にわたり、建築や演劇、さらにはシュタイナー教育や日本庭園までおよぶことも。建物はスイスの建築家マリオ・ボッタさんが設計。展示空間にとられた大きな吹き抜けや、外観をとりまくストライプが印象的です。

１階・地階には、世界中から集められたポストカードやオリジナルグッズが置かれたショップ「オン・サンデーズ」があります。イベントに合わせて特別なメニューが登場することもあるカフェとともに、ぜひ立ち寄りたい場所です。

**ワタリウム美術館**
わたりうむびじゅつかん
**渋谷区神宮前 3-7-6**

- ☎ 03-3402-3001
- 11:00 〜 19:00
- 休 月曜（祝日の場合は翌日）、年末年始
- ¥ 展覧会により異なる
- 東京メトロ銀座線外苑前駅から徒歩８分
- http://www.watarium.co.jp

マリオ・ボッタさん設計の建物はキラー通りでも目を引く外観。

# スパイラルガーデン

石本藤雄展「布と陶に咲く花」(2010年)の展示風景。
© スパイラル／株式会社ワコールアートセンター
撮影：市川勝弘

## 青山のシンボル的空間でアートも雑貨もカフェも

青山通りに面し、「生活とアートの融合」をテーマにした複合文化施設スパイラル。ギャラリーやカフェ、ショップが共存する独特の空間です。現代美術を中心に紹介するスペース「スパイラルガーデン」はエントランスから入ってすぐの空間。らせん状のスロープが設置されたアトリウム（吹抜）とギャラリー、青山通りを望む窓に面した大階段という、変化に富んだ空間で構成されています。設計は建築家の槇文彦（まきふみひこ）さん。企画展では、国内外の若手作家を積極的に紹介しています。

隣接する「スパイラルカフェ」はアートを鑑賞しながら、旬の食材を使った料理を味わえます。2階には、永く愛用できる上質なアイテムを中心とした生活雑貨を取り扱うショップ「スパイラルマーケット」も。

スパイラルマーケットではクリエイターや作家の作品も揃う。

① アートのある空間を感じながらくつろげる「スパイラルカフェ」。ランチやティータイム、ディナーなど1日を通してさまざまなシーンで利用できるのが魅力。

② 旬のフルーツをふんだんに使用したスイーツが人気。ケーキはすべてパティシエによる手づくりで、シーズンごとの味わいを楽しめる。

### スパイラルガーデン
すぱいらるがーでん
港区南青山5-6-23

☎ 03-3498-1171
🕒 11:00～20:00
休 施設の休館に準ずる
¥ 入場料無料
東京メトロ銀座線・半蔵門線・千代田線表参道駅から徒歩1分
https://www.spiral.co.jp

**スパイラルカフェ**
11:00～21:00 (L.O.20:30)
休 施設の休館に準ずる

# エスパス ルイ・ヴィトン東京

## 表参道の景色もアートの一部

ヴォルフガング・ティルマンス「WOLFGANG TILLMANS - MOMENTS OF LIFE」（2023年開催）の展示風景。
© Wolfgang Tillmans
Photo：© Jérémie Souteyrat / Louis Vuitton

① 2022年に開催されたラシード・ジョンソン「PLATEAUS」（2014年）の展示風景。
© Rashid Johnson.
Photo：© Fondation Louis Vuitton / Marc Domage

② 2021年に開催されたギルバート＆ジョージ「CLASS WAR, MILITANT, GATEWAY」（1986年）の展示風景。
© Gilbert & George
Photo：© Keizo Kioku / Louis Vuitton

ファッションの街、表参道。この街のランドマークのひとつが、建築家・青木淳(あおきじゅん)さんの設計によるルイ・ヴィトン 表参道ビル。直方体が不規則に積み重なったフォルムを持つ建物の7階に、この魅惑的なギャラリーがあります。

高さ8・45m、面積193平方mという広さを持ち、3面ガラス張りという開放感に満ちた空間はアーティストのクリエイティビティを刺激する場となっています。世界で活躍する著名なアーティストも、昼夜で大きく表情を変えるこの場所を活用した作品を発表しています。昼と夜の2回訪れ、窓からの景色もあわせて楽しむのがおすすめ。

**エスパス ルイ・ヴィトン東京**
えすぱするい・ゔぃとんとうきょう
渋谷区神宮前5-7-5
ルイ・ヴィトン表参道ビル7階

☎ 0120-00-1854
12:00～20:00（エキシビション会期中のみ）
休 展示期間はウェブサイトを要確認
¥ 入館料無料
東京メトロ銀座線・半蔵門線・千代田線表参道駅から徒歩3分
http://espacelouisvuittontokyo.com

small
museums
in Tokyo

4

# 渋谷・恵比寿エリア

Shibuya,Ebisu

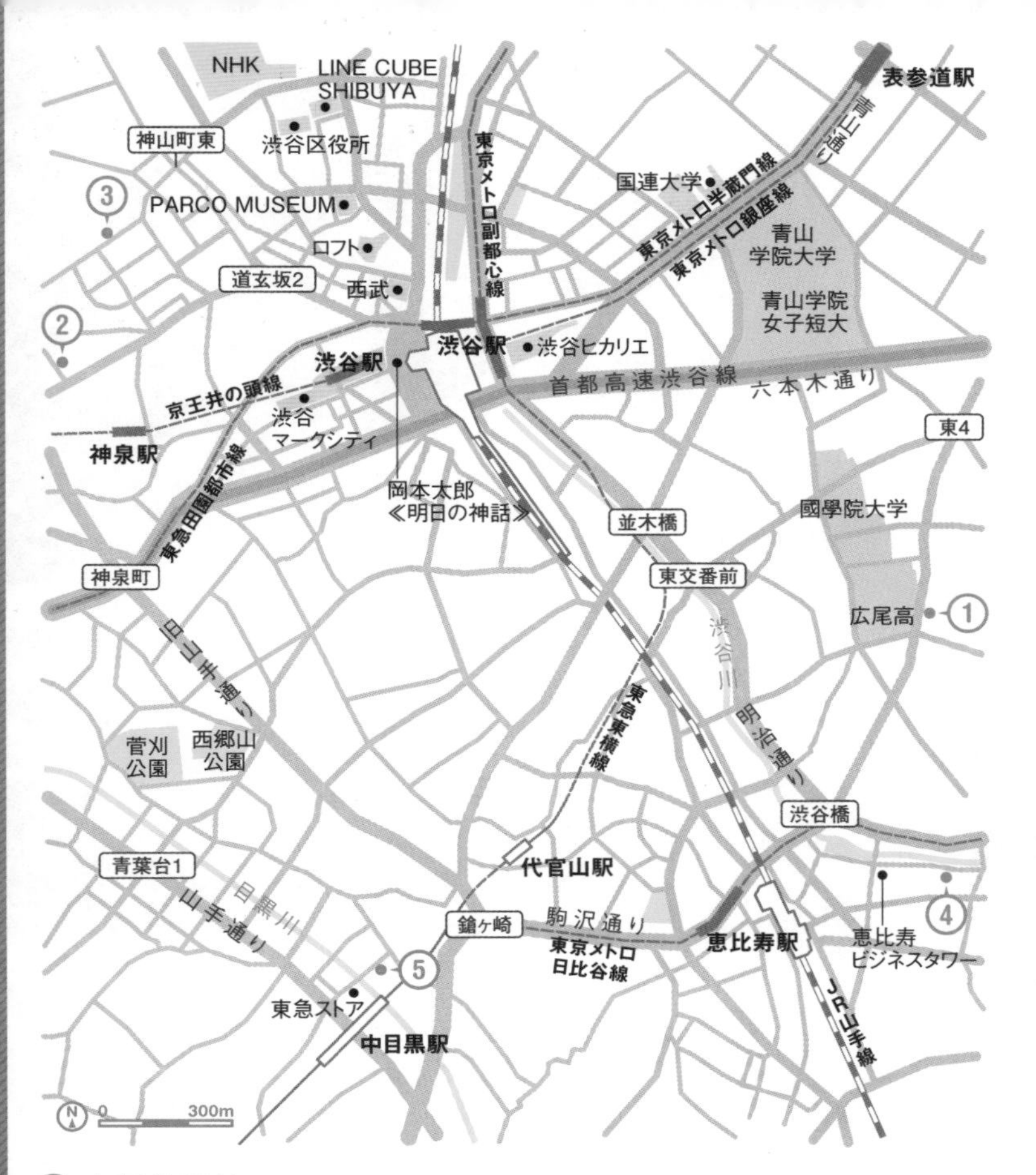


1. 山種美術館
2. 渋谷区立松濤美術館
3. 戸栗美術館
4. NADiff a/p/a/r/t
5. 郷さくら美術館

写真：山種美術館「日本の風景を描く」展（2022年12月～2023年2月）

美術鑑賞の後は、カフェでゆっくり♪

写真：山種美術館

展示内容によって、開館時間や入館料金が異なることがあります。お出かけ前に、各館の公式ウェブサイトなどをご確認ください。

# 山種美術館

日本画の美しさをより際立たせる照明や展示の仕方にも注目。「日本の風景を描く」展会場風景（2022年12月10日～2023年2月26日）。

## 日本ではじめての日本画専門美術館

優れた日本画のコレクションで知られる美術館です。創設者で実業家の山﨑種二（やまざきたねじ）は、横山大観や上村松園（うえむらしょうえん）ら画家と直接交流を深め、作品を購入するスタイルで作品を収集。加えて、二代目館長の山﨑富治（とみじ）が重要文化財《炎舞》など速水御舟（はやみぎょしゅう）作品を、優れたコレクションを持つことで知られていた商社・安宅産業より一括で迎え入れ、御舟コレクションの礎ができあがりました。現在、近代から現代までの日本画を中心に、約1800点を収蔵しています。展示室は、日本画の持つ岩絵具の色の美しさを引き出すため、クロスや照明、展示ケースのガラスなども厳選。最適な調光と配置で作品を鑑賞できる工夫が随所に施されています。ロビー正面入口には、日本画家・加山又造（かやままたぞう）の華やかな陶板壁画《千羽鶴》が常設展示されており、鑑賞の前から気持ちをもり立ててくれます。

山種コレクションの中でも人気の高い速水御舟《名樹散椿》【重要文化財】をモチーフにした和菓子「散椿」。※和菓子は展覧会ごとに変わる。

1 「日本の風景を描く」展の会場風景（2022年12月10日～2023年2月26日）。

2 「速水御舟展」（2019年6月 8日～8月4日）の展示室風景。写真左の作品が《炎舞》。撮影：小池宣夫

3 エントランスに隣接する「Cafe 椿」の和菓子は、青山の老舗菓匠「菊家」に特別にオーダーしたもの。

**山種美術館**
やまたねびじゅつかん
**渋谷区広尾 3-12-36**

- 050-5541-8600（ハローダイヤル）
- 10:00 ～ 17:00（入館は閉館 30 分前まで）
- 休 月曜（祝日の場合は翌日）、年末年始、展示替え期間
- ¥ 展示内容により異なる
- JR・東京メトロ日比谷線 恵比寿駅から徒歩 10 分
- https://www.yamatane-museum.jp

## グッズへのこだわり

オリジナルグッズは、館長自ら使いたいと思うものだけを選んだ、美しさと実用性を兼ね備えたものばかり。自分へのごほうびにも、ちょっと背伸びした贈り物にも最適。

絵はがきも充実。すべて欲しくて迷ってしまいそう。

速水御舟《翠苔緑芝》をモチーフにしたタオルハンカチ。日常遣いできるグッズが揃う。

# 渋谷区立松濤美術館

ブリッジを下から。吹き抜けから見上げたときの楕円形の空が美しい。

## 松濤の地で美術も、建物も堪能

閑静な住宅街のなかにある美術館。コレクションを所有し、年に4回程度のペースで分野や時代にとらわれないバラエティ豊かな企画展が行われています。その展覧会を盛り上げる影の主役が建物。戦後を代表する建築家、白井晟一（しらいせいいち）が設計しました。花崗岩に覆われた外壁と銅板葺きの大きな屋根の外観、建物中央の吹き抜けなど、独特の意匠が印象的です。また、館内の壁には鏡が多くかけられ、窓から降り注ぐ光を反射させ室内を明るく照らしていることに気付きます。鏡やソファなどの調度品は白井自らが建物に合わせて探してきたもの。建築家が綿密な計算をしながら設計したことがうかがえます。吹き抜けにかけられたブリッジは、晴れの日には通ることができます。

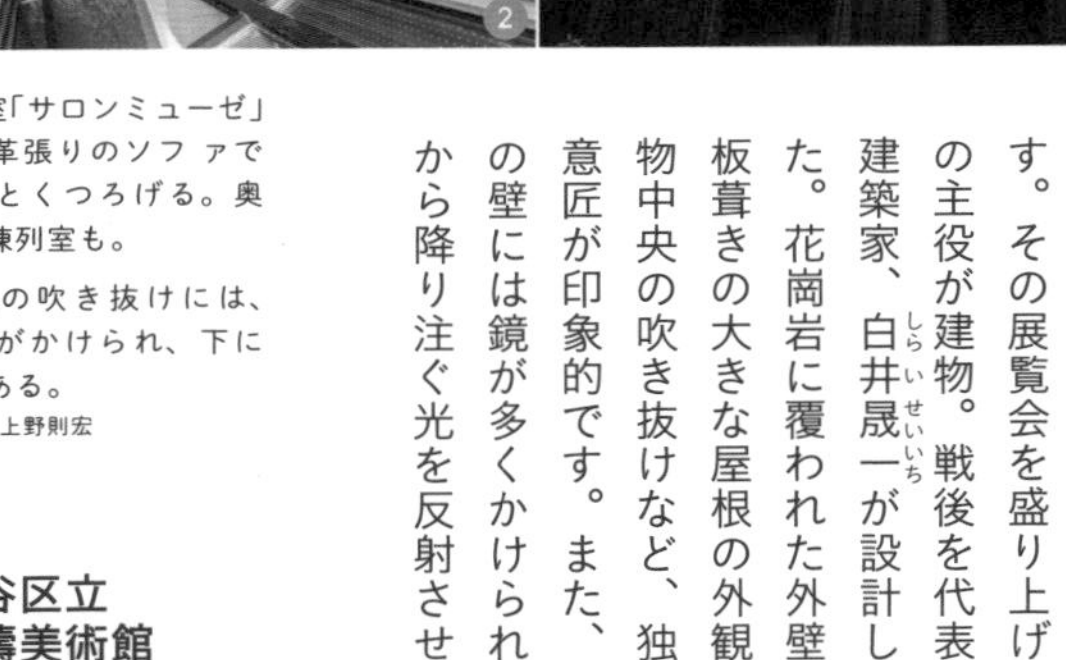

重厚な石は建築家が韓国まで行き、探してきたもの。独特の風合いがにじむ。

1 第2展示室「サロンミューゼ」は大きな革張りのソファでゆったりとくつろげる。奥には特別陳列室も。

2 建物中央の吹き抜けには、ブリッジがかけられ、下には噴水もある。

撮影すべて：上野則宏

**渋谷区立**
**松濤美術館**
しぶやくりつ
しょうとうびじゅつかん
**渋谷区松濤 2-14-14**

- ☎ 03-3465-9421
- 特別展 10:00 ～ 18:00（金曜～20:00）
  公募展・サロン展 9:00 ～17:00（入館は閉館 30 分前まで）
- 休 月曜（祝日の場合は翌日）、年末年始、展示替え期間
- ¥ 展示内容により異なる
- 京王井の頭線神泉駅から徒歩 5 分
  JR 渋谷駅から徒歩 15 分
- https://shoto-museum.jp

# 戸栗美術館

裏面を見せるために鏡を設置して鑑賞しやすい工夫が施されている。2014年企画展「古九谷　柿右衛門　鍋島展」の展示風景。

1 階段の下や途中にも作品が展示されている。展示室にもケース前に手すりがあって見やすい。

2 まさに器の形をしたポストカードをはじめ、個性的なグッズ。オリジナルの焼き物も購入できる。

## 閑静な住宅街、松濤で見る古陶磁の名品

旧鍋島家の屋敷跡地にある、古陶磁専門の美術館。コレクターであった創設者の戸栗亨（とぐりとおる）が生涯かけて集めた肥前磁器と東洋陶磁約7000点が展示されています。とくに伊万里焼をはじめとする肥前の磁器が充実しています。染付のみであった初期の伊万里焼が、色を持ち古九谷様式、さらに鮮やかな朱色が映える柿右衛門様式、華やかな金襴手様式へと変遷し、ほかにも幕府の献上品になった鍋島にいたるまで、広く網羅されています。収蔵品で展示を構成する方針のため、行われる企画展はオリジナリティあふれるもの。現代の陶芸家を特集するギャラリーや、のんびりと庭園を眺められる休憩スペースも用意されており、コンパクトながらもゆったりとした空間です。

**戸栗美術館**
とぐりびじゅつかん
**渋谷区松濤 1-11-3**

**03-3465-0070**

**10:00 ～ 17:00**
**（金・土曜～ 20:00、入館は閉館 30 分前まで）**

**月・火曜**
**（両日とも祝日の場合は翌平日）、年末年始、展示替え期間**

**展覧会により異なる**

**JR 渋谷駅から徒歩 15 分**
**京王井の頭線神泉駅から徒歩 10 分**

**http://www.toguri-museum.or.jp**

コーヒー（有料）を飲みながらくつろげる休憩スペース。

# NADiff a/p/a/r/t

## コンテンポラリーアート関連の書籍、グッズ、展覧会を一度に楽しめる

さまざまな美術館にショップを展開しているナディッフの本店。コンテンポラリーアート、フォトに関する美術書や展覧会図録などの書籍を中心に、切れ味するどいアートグッズや雑貨マルチプルなどを扱っています。地下1階にはギャラリースペース「ナディッフ ギャラリー」。上下ふたつのスペースは連動し、インストアで行うイベントや展覧会も頻繁に行われています。商品の発売に留まらない情報発信をさまざまな取り組みで行っています。何か斬新なものを見つけたいとき、探したいときは、まずここに足を向けてみましょう。

撮影：篠田優

1. 地下1階から地上3階まで盛りだくさん。1階は大きくとられたガラス窓が印象的。
2. 同時代性を感じさせるパフォーマンスやライブも開催している。

**NADiff a/p/a/r/t**
なでぃっふあぱーと

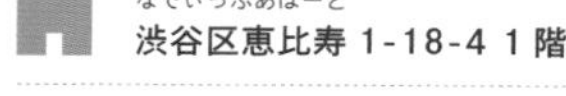

渋谷区恵比寿 1-18-4 1階

- 03-3446-4977
- 12:00 ～ 20:00
- 休 月（祝日の場合は翌日火曜休み）
- 入館料無料
- JR 恵比寿駅から徒歩 6 分
- http://www.nadiff.com

アーティスト David Shrigley とのコラボレーション腕時計はホワイト・ブラックの2色展開（9,900円・写真上）。アーティスト大竹伸朗さんとのコラボレーションステッカーは、キカイダー好きの青い女（日常とビルの窓 8）、真夏の思い出（日常とビルの窓 15）、話と恍惚（日常とビルの窓 10）の3種がある（各 330円）。

# 郷さくら美術館

展示室はシンプルなので、繊細でありつつ迫力ある日本画をじっくりと堪能できる（現在の展示とは異なる）。

## 日本画の「いま」を知る美術館

落ち着いた雰囲気が人気の街、中目黒にある現代日本画を専門に展示する美術館です。2012年にオープンしました。昭和以降に生まれた作家の作品、それも50号以上の大型作品を収集するという方針を打ち出しています。そのため、展示されている作品はどれも存在感のあるものばかり。遠くから全体像を眺め、その後に近づいて繊細な筆使いを堪能しましょう。企画展では季節に合わせた作品を展示するほか、美術館の名にちなみ常設展では桜の作品を展示（冬季展を除く）。現在進行形の日本画を鑑賞できます。

驚くのが美術館の外観。桜文様をモチーフにした黒い有孔タイルが積み上げられたスタイリッシュな佇まい。実はこちらの建物、もともとあった店舗・オフィスビルをコンバージョンしてつくられ、2012年グッドデザイン賞を受賞しました。桜の名所でもある中目黒で、絵画を通して桜を見られる貴重な空間です。

1. 「絵は読むもの」というコンセプトのもと、作家の言葉などを紹介する。
2. 桜をモチーフにした1100枚の有孔タイル。裏側から見ても、陽の光が差し込み美しい。

**郷さくら美術館**
さとさくらびじゅつかん
**目黒区上目黒1-7-13**

- 03-3496-1771
- 10:00 ～ 17:00（入館は閉館30分前まで）
- 休：月曜（祝日の場合は翌平日）、年末年始、展示替え期間
- ¥：一般500円ほか
- 東急東横線・東京メトロ日比谷線中目黒駅から徒歩5分
- https://www.satosakura.jp

日が落ちると室内の明かりがタイルの溝からこぼれ落ちる。

column 2

観るだけじゃもったいない！

# 心が元気になれるワークショップ（ヨックモックミュージアム）

ヨックモックミュージアムでは、芸術の医学的な効用に着目したプログラムなども開催。五感を刺激し、心が元気になるアートな体験をしてみませんか？

※美術館について 38 ～ 40 ページで紹介

## 大人も子どもも夢中に

「誰しもが驚きと発見に出会える美術館」を目指す同館は、「臨床美術」を基礎においた「YM アートセッション」を定期的に開催。ストレス解消やリフレッシュ効果に結びつくアートづくりを行うワークショップです。自由に表現を行ってみることで、心の疲れや重たさがしだいに消えていく感覚を感じられるはず。

「蕪を描く」というアートセッション。黄ボール紙とアクリル絵の具を使い、土の質感を思い起こしながら肥沃な土を塗り、蕪を描いていく。

### 画家も好んだ絵画表現に触れる

シュルレアリスムの画家たちが好んだ技法「フロッタージュ」に触れることができるワークショップ。紐でできた凹凸をこすり出し、現れてきた線からおもしろい形を見つけて、色彩を華やかに描いていきます。

### 身近な野菜を再現“でこぼこかぼちゃ”

丸めた新聞紙の上に、和紙を貼り付けてかぼちゃをつくっていくワークショップ。かぼちゃの質感や重さ、張り、形など観察して、それをつくり出す過程のなかで、さまざまな発見を得られます。

### 貝というキャンパスに春を表現

ハマグリの貝殻に自由に絵を描くワークショップ「貝に描く花祭り」。貝殻に色をつけていくと、「貝合わせ」や「貝覆い」などの遊びを楽しんだ平安時代の貴族のような、雅やかな世界を感じられます。

### 思いのままにつくるきらめく光のアート

好きな形の器を選び、アクリル絵の具で自由に線や形を描くクリスマスキャンドルホルダーづくり。着色したグラスは、キャンドルを灯すとキラキラ光って、心がゆるやかにほどけていきそうです。

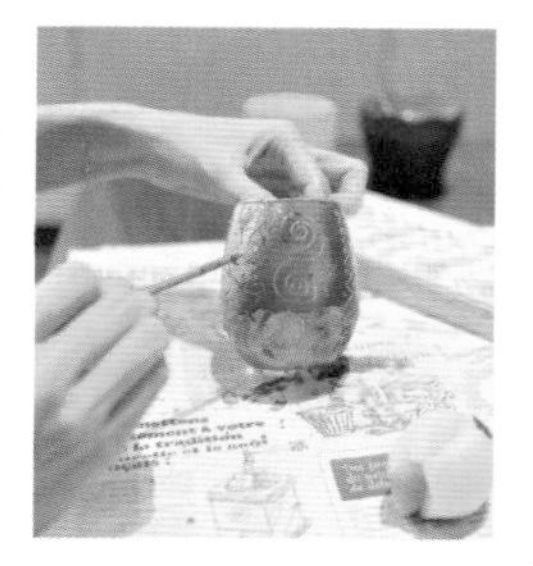

# 品川・目黒・白金エリア Shinagawa, Meguro, Shirokane

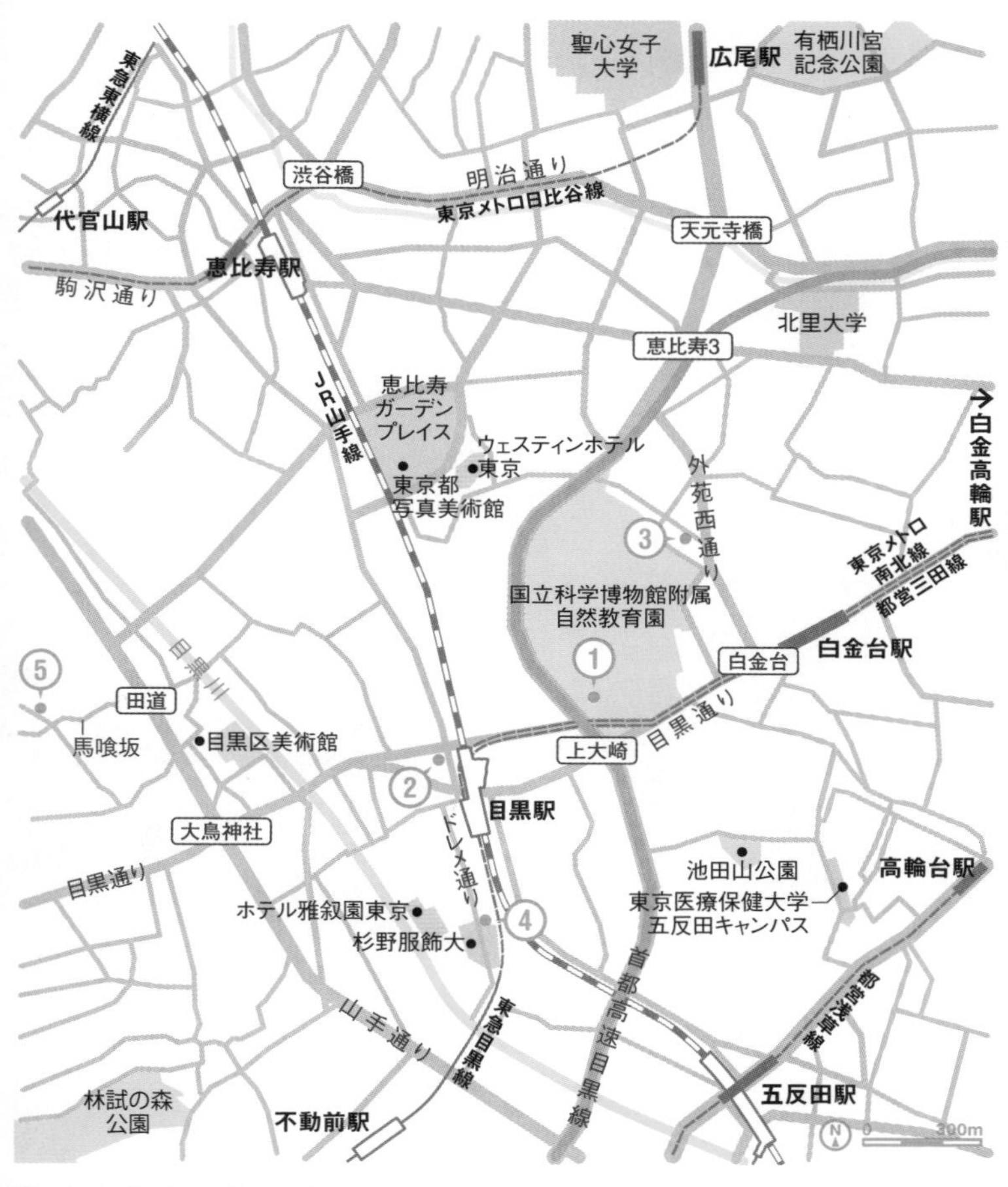


① 東京都庭園美術館
② 久米美術館
③ 松岡美術館
④ 杉野学園衣裳博物館
⑤ 長泉院附属現代彫刻美術館
翡翠原石館 (map p.63)

かわいいグッズも見逃せない！

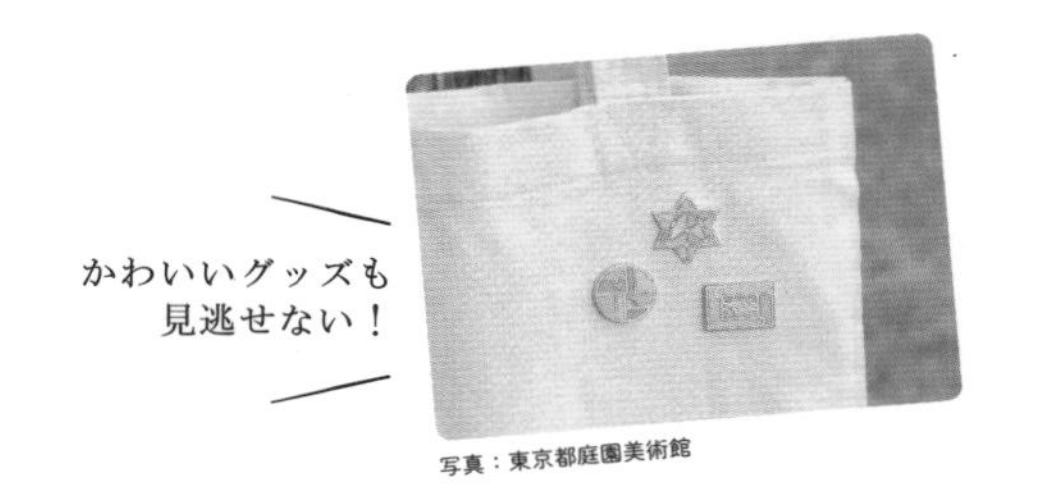
写真：東京都庭園美術館

展示内容によって、開館時間や入館料金が異なることがあります。
お出かけ前に、各館の公式ウェブサイトなどをご確認ください。

殿下居間の壁紙は2014年のリニューアル時に復元された。幾何学模様の壁紙が部屋を彩る。

# 東京都庭園美術館

## 新館も登場！アール・デコの美術館

旧皇族、朝香宮（あさかのみや）夫妻の邸宅として建設された同館（本館）は、1920年代に全盛期を迎えたデザイン様式、アール・デコの意匠を存分にとり入れた建物。フランスに長期滞在し、当地の文化を積極的に吸収していた夫妻の好みが随所に反映された形になっています。直線で構成された外観、エントランスでゲストを迎える香水塔、ラジエーターグリル、照明、壁紙など、建物すべてが鑑賞の対象となり、展覧会の雰囲気を華々しく盛り上げてくれます。

2014年には現代美術作家の杉本博司さんをアドバイザーに迎えた新館もオープン。白いホワイトキューブの展示室は、大型作品やパフォーミングアーツにも対応し、作品を本館とは別の角度から際立たせます。本館から新館へ移るアプローチは、本館エントランスにあるルネ・ラリックのレリーフに並ぶガラスでできた新名所。カフェのテラス席は、すがすがしい空間で、オリジナルの食器でいただくスイーツも魅力です。

オリジナルのマグネットバッジ。踊り場の照明や手すりの装飾、階段の丸窓をモチーフにしている。

## 東京都庭園美術館

とうきょうとていえんびじゅつかん

港区白金台 5-21-9

050-5541-8600（ハローダイヤル）

10:00 ～18:00（入館は閉館30分前まで）

月曜（祝日の場合は翌日）、
年末年始、展示替え期間

展示内容により異なる

JR・東急目黒線目黒駅から徒歩7分
都営地下鉄三田線・東京メトロ南北線白金台駅から徒歩6分

http://www.teien-art-museum.ne.jp

1 サンルームの機能を持つベランダの床は、国産大理石を使用し、市松模様に張られている。

2 大客室から見るアンリ・ラパンのデザインの香水塔。大扉はアール・デコ独特の幾何学的な装飾。

3 ショップは新館に併設。建物モチーフのオリジナルグッズなどが販売されている。

正面玄関のガラスレリーフ扉（部分）。アール・デコを牽引したガラス工芸家、ルネ・ラリックの作品。この建物のための特注品。

こだわりポイント

### 新館へのこだわり

三保谷（みほや）硝子制作の波打つガラスは、日差しによって落とす影を変える。本館のガラスレリーフ扉との調和を意識してつくられた。光の具合によって、ハートマークや蝶の形をした影が現われるという。

# 久米美術館

桂一郎の終生の友で洋画家の黒田清輝作品も交えた展覧会も時折開催される。

① 久米桂一郎が油彩作品を出品した1900年開催のパリ万博の会場マップを使ったエコバッグ（1,000円）。

② 久米邦武は『米欧回覧実記』編纂の賞として下賜（かし）された金五百円を元手として目黒の土地を購入した。

## 歴史家と洋画家親子ゆかりの地、上大崎に建つ美術館

久米邦武（くにたけ）とその長男の久米桂一郎を記念し、１９８２年に開館した美術館。美術館のあるビルは、ふたりがかつて暮らしていた屋敷跡の一角に建設されたものです。邦武は岩倉使節団の一員として欧米12ヵ国を視察、報告書『米欧回覧実記』を編修したことで知られる歴史家。一方、桂一郎はパリで洋画を学び、帰国後は洋画団体・白馬会を結成、東京美術学校の教壇に立つなど精力的に活動した洋画家です。同館では、ふたりの資料や作品を元にした展覧会を精力的に開催しています。明治維新後、西洋の叡智や文化を貪欲に学びとろうとした親子の足跡は、現代に生きる私たちのヒントにもなるはずです。

**久米美術館**
くめびじゅつかん
品川区上大崎 2-25-5
久米ビル 8 階

03-3491-1510

10:00 ～ 17:00
（入館は閉館 30 分前まで）

月曜（祝日の場合は翌日）、
年末年始、展示替え期間

一般 500 円ほか

JR 山手線目黒駅から徒歩 1 分
東急目黒線・東京メトロ南北線・
都営三田線目黒駅から徒歩 2 分

https://www.kume-museum.com

# 翡翠原石館

ときどき実際に使用しているという翡翠風呂。壁も床も全部翡翠というから驚き。

1 館内では翡翠を購入することもできる。

2 館長が重機を使って掘り出した翡翠も多く展示されている。

## 美しい輝きを持つ翡翠の魅力

江戸時代は花見の名所として、現在は高級住宅街として知られる御殿山にある同館は、その名のとおり翡翠だけを展示しています。館長で実業家の鶴見信行さんは翡翠に魅せられ、30年以上にわたって収集。2002年より同館で展示を行っています。なかでも、日本で翡翠の名産地と呼ばれる、糸魚川流域からとれた翡翠の原石は、圧巻の大きさ。どの原石も少しずつ趣きが異なるのがおもしろいところです。鑑賞後に、フレーバーティーのサービスもあり、ゆったりとした時間を過ごせます。また、現在お隣にガーネットの原石を外壁に使ったモザイク仕立ての2号館をゆっくりと建設中。見事なので、外観だけでも見る価値ありです。

春になると満開の桜が美しい。

**翡翠原石館**
ひすいげんせきかん
品川区北品川 4-5-12

☎ 03-6408-0313
10:00 ～ 17:00
休 月・火・木曜
¥ 700円（スリランカの紅茶サービスあり）
京急本線北品川駅から徒歩５分
JR 品川駅・五反田駅から都バス 御殿山バス停下車徒歩５分
https://www.hi-su-i.com

# 松岡美術館

創設者の松岡清次郎が積極的に収集していた古代東洋彫刻群。

① 古代エジプトの《エネヘイ像》（写真奥）や《彩色木棺》などは常設展示。古代オリエント美術をじっくりとご覧あれ。

② 紺地に染め上げた布地に青花磁器の文様をクローズアップして仕上げた「東洋陶磁名品コースター」は全5種（各1,200円）。器体のなめらかな曲線も味わえるデザイン。

## スケッチもできる、自由さがうれしい美術館

白金台の閑静な住宅地にある美術館。ガンダーラ石造彫刻群やヒンドゥー教神像などの古代東洋彫刻、約650点にのぼる東洋陶磁器のコレクションから、印象派をはじめとするフランス近代絵画や、ヘンリー・ムーアなどの現代彫刻まですべて、創立者である松岡清次郎が収集したもの。収蔵品のみで構成される企画展もバラエティ豊かです。自邸の跡地に建設された館内には、「ゆったりとした気持ちで鑑賞していただきたい」という同館の願いがあふれています。例えば、鉛筆を使ったスケッチなら可能であること、常に展示室を監視するスタッフを置いていないこと、などなど。自分の気持ちの赴くままに鑑賞できる場所です。

庭園は1階ロビーからも眺められる。

**松岡美術館**
まつおかびじゅつかん
港区白金台 5-12-6

03-5449-0251

10:00 ～ 17:00
（第1金曜～ 19:00、入館は閉館 30 分前まで）

休 月曜（祝日の場合は翌日）、年末年始、展示替え期間

¥ 一般 1200 円ほか

東京メトロ南北線・都営地下鉄三田線白金台駅から徒歩 7 分

http://www.matsuoka-museum.jp

# 杉野学園衣裳博物館

## 日本ではじめての衣装博物館

ドレメの名で知られる杉野学園の校舎が並ぶ、通称「ドレメ通り」。この一角にあるのが同館です。学園の創立者、杉野芳子が服飾文化を鑑賞、学習する場を求め、自ら衣装を収集、1957年に博物館を創設しました。建物は芳子の夫で学園の初代理事長、建築家の杉野繁一が設計。欧米の建築を学んで設計されたファサードや1階から中2階へ上る階段などの優雅なフォルムは竣工当時のままです。ちなみに、本校舎にある杉野学園ショップには洋裁用品が充実。一般の方も購入可能です。

学園ショップ自慢の裏地の品揃え。一般のお店ではあまり入手できないW幅の取り扱いも。

1. 西洋や日本の衣装、民族衣装、杉野芳子の作品、ファッション・スタイル画などを収蔵。また、1950年代の楮製紙製のマネキンも収蔵されており、日本のマネキン史もうかがい知れる。
2. 学園創立者である杉野芳子の作品。
3. 昭和天皇即位の際に女官が着用した五衣、唐衣、裳（十二単）も展示。

**杉野学園衣裳博物館**
すぎのがくえんいしょうはくぶつかん
品川区上大崎 4-6-19

- ☎ 03-6910-4413
- 10:00 ～ 16:00
- 休 日曜、祝日、大学の休業日（土曜は HP を要確認）
- ¥ 一般 300 円ほか
- JR・東急目黒線・東京メトロ南北線・都営地下鉄三田線目黒駅から徒歩 7 分
- https://www.costumemuseum.jp/

# 長泉院附属現代彫刻美術館

## 住宅地に突然あらわれる彫刻だけの空間

「muse-wood exhibition」展より、向かって左が峯田敏郎《記念撮影―シズカ山の音― 1995》、右が舟越桂《中野の肖像》1981年。

中目黒と目黒の中間地点、閑静な住宅地にある現代彫刻専門の美術館。創設者の渡辺泰裕が収集していた彫刻作品を野外に展示したことがきっかけとなり、1982年、美術館としてスタートを切りました。野外ではブロンズ作品や石彫作品など、素材やテーマを設定した展示が行われています。

また、蜂の巣のように六角形が連なる形状をしている室内展示室では、木彫作品など、室内保存に適した作品が並びます。その数は実に250点以上。どれも20世紀以降の国内作家の作品です。若手作家にスポットをあてた企画展も開催されています。館内も館外も入館無料なのがうれしい。お散歩の合間に立ち寄れる美術館です。

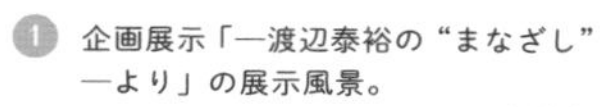

1. 企画展示「―渡辺泰裕の“まなざし”―より」の展示風景。
2. 屋外展示風景。向かって左が佐藤助雄《二つの友情》1974年、右が峯田敏郎《L第一防波堤》1983年。

**長泉院附属現代彫刻美術館**
ちょうせんいんふぞくげんだいちょうこくびじゅつかん
**目黒区中目黒 4-12-18**

- 03-3792-5858
- 10:15 ～ 17:00（入館は閉館30分前まで）
- 休 月曜（祝日の場合は開館、翌日が休館）、年末年始（12月20日～1月14日）、本館休館日（上記に加え毎月26日～月末）
- ¥ 入館料無料
- JR目黒駅から東急バス 自然園下バス停下車徒歩3分
  JR渋谷駅から東急バス 田道小学校入口バス停下車徒歩5分
- http://www.museum-of-sculpture.org

small museums in Tokyo

6

# 六本木エリア

Roppongi

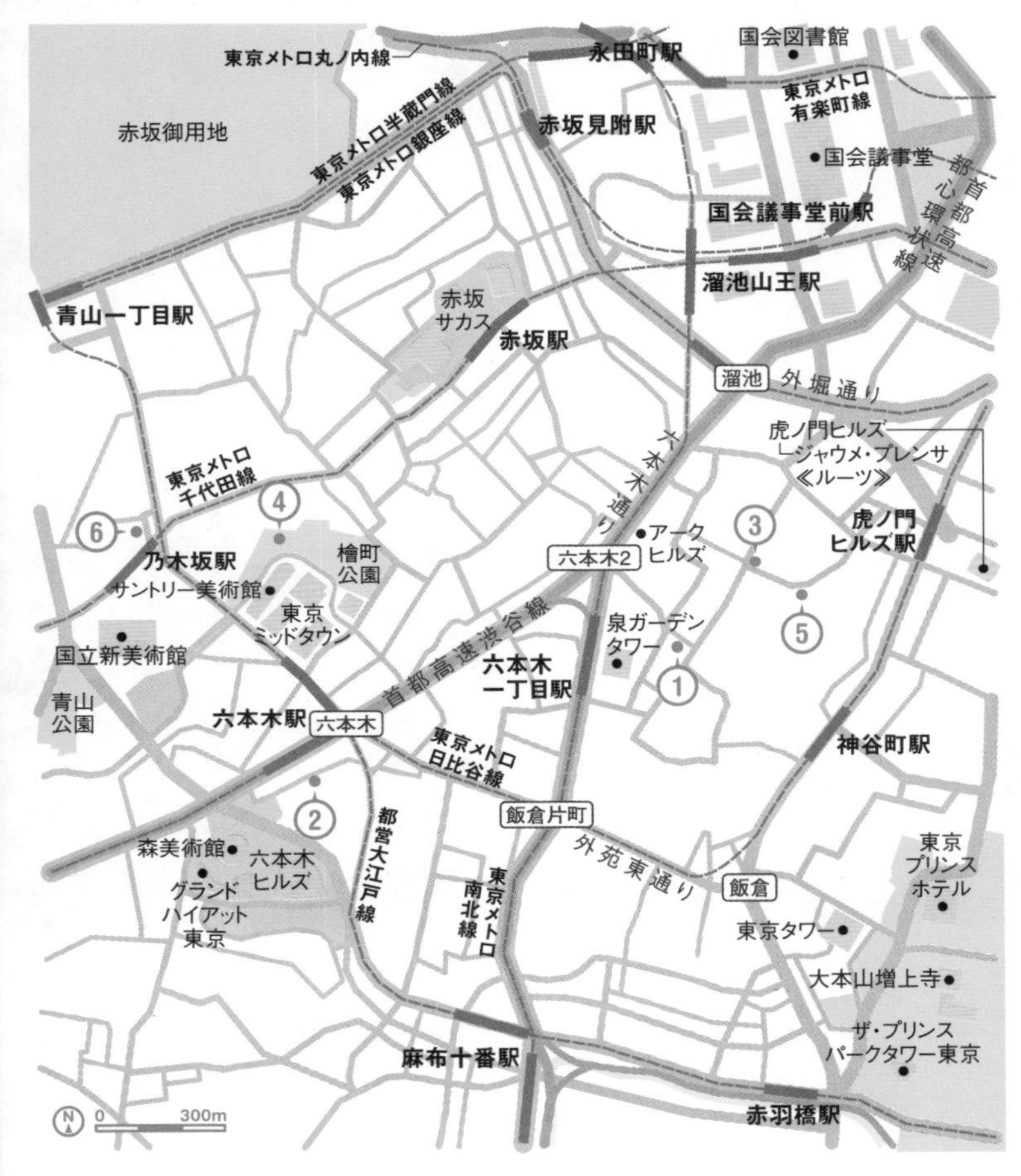


① 泉屋博古館東京

② ピラミデビル
(ペロタン東京、Yutaka Kikutake Gallery、ZEN FOTO GALLERY 、WAKO WORKS OF ART、SCAI PIRAMIDE、オオタファインアーツ)

③ 大倉集古館

④ 21_21 DESIGN SIGHT

⑤ 菊池寛実記念 智美術館

⑥ TOTO ギャラリー・間

書店もおすすめ！

写真：TOTO ギャラリー・間

展示内容によって、開館時間や入館料金が異なることがあります。
お出かけ前に、各館の公式ウェブサイトなどをご確認ください。

# 泉屋博古館東京

収蔵品は東京、京都を合わせて約3000件。企画展に合わせたイベントや連続講座も好評開催。

## 代々伝わる住友家の名品を公開

住友家旧麻布別邸の跡地を中心に生まれた複合施設、泉ガーデンの一角にある同館は、2002年、京都にある「泉屋博古館」の分館として開館。22年に展示室やカフェを増やし「泉屋博古館東京」としてリニューアルオープンしました。

泉屋博古館は、もともとは京都にある美術館。住友家15代当主、住友春翠が収集した中国青銅器や鏡鑑を核に、住友家の保有していた美術品などを中心に収集・展示しています。ちなみに、同館の施設名は江戸時代の住友家の屋号である泉屋と900年前に中国で編纂された青銅器の図録『博古図録』にちなんだもの。同館では、春翠がコレクションしていた近代洋画や日本画、陶磁器、さらに茶道具などを収蔵しており、テーマを設定した展覧会を行っています。

美術館併設の「HARIO CAFE」は、美術館のイメージに合わせてブレンドした豆のコーヒーを味わえるカフェ。展覧会の後に立ち寄りたい場所です。

美術館は六本木一丁目駅と直結しているので便利。

❶❷ 映り込みが最小限のガラスで、作品がよりいっそう美しく見える。

❸ エントランス。正面の作品は北村四海の彫刻作品《蔭》。

❹ ギフトにも喜ばれるオリジナルのグッズが揃うショップ。

こだわりポイント

## あたらしく カフェもオープン

ガラスメーカー、HARIOが運営するカフェがリニューアルを機にオープン。入場券がなくても利用できるのがうれしい。HARIOのコーヒーグッズやガラスのアクセサリーも取り扱う。

### 泉屋博古館東京

せんおくはくこかんとうきょう

港区六本木 1-5-1

- 050-5541-8600（ハローダイヤル）
- 11:00 ～ 18:00（金曜～19:00、入館は閉館 30 分前まで）
- 月曜（祝日の場合は翌日）、年末年始、展示替え期間
- 展示内容により異なる
- 東京メトロ南北線六本木一丁目駅から徒歩 3 分
- https://www.sen-oku.or.jp/tokyo/

カフェでは、HARIOの器具で淹れたハンドドリップのコーヒーや紅茶を楽しめる。月に数回、コーヒーセミナーやワークショップも開催されている。

村上隆や加藤泉など、日本人アーティストも所属する「ペロタン東京」。「Head in the Clouds」展の展示風景。
Photo by Keizo Kioku. Courtesy of the artists and Perrotin.

「ZEN FOTO GALLERY」は東京でも数少ない写真専門のギャラリー。

1. ペロタン東京「Head in the Clouds」展の展示風景。
Photo by Keizo Kioku. Courtesy of the artists and Perrotin.

2. Yutaka Kikutake Gallery「三瓶玲奈 "光をつかむ"」の展示風景。
Photo by Osamu Sakamoto

3. オオタファインアーツでのグループ展「Islands」(2021年)の展示風景。
Photo by Kanichi Kanegae

4. Yutaka Kikutake Gallery「毛利悠子 "Neue Fruchtige Tanzmusik"」の展示風景。
Photo by Osamu Sakamoto

## 個性豊かなギャラリーの集う新スポット

大小さまざまな美術館のある六本木は、ギャラリーも多いエリア。そのなかでもピラミデビルは、ビルの半分が現代アートギャラリーという、美術好きにはたまらないビル。ビルのなかを散策していれば、アート三昧の1日がすごせるはず。ちなみに〝ピラミデ〟はフランス語でピラミッドの意味。建物のあちらこちらにピラミッドの意匠をほどこされており、こちらも鑑賞ポイントです。

「ZEN FOTO GALLERY」はミニ・ブックショップも併設している。

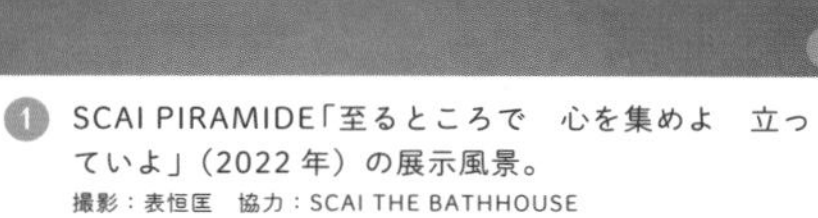

1 SCAI PIRAMIDE「至るところで　心を集めよ　立っていよ」（2022年）の展示風景。
撮影：表恒匡　協力：SCAI THE BATHHOUSE

2 WAKO WORKS OF ART「ゲルハルト・リヒター Drawings 2018-2022 and Elbe 1957」（2022年）の展示風景。© Gerhard Richter

3 SCAI PIRAMIDE「磯谷博史　さあ、もう行きなさい」鳥は言う「真実も度を越すと人間には耐えられないから」（2021年）の展示風景。
撮影：表恒匡　協力：SCAI THE BATHHOUSE

## ひとつのビルで現代アートまるわかり

なかでも、パリを拠点に世界各地で活動を展開する国際的なギャラリー「ペロタン東京」、日本国内とアジアで活動している作家の写真作品を専門に紹介する「ZEN FOTO GALLERY」、日本人若手アーティストを中心に紹介する「Yutaka Kikutake Gallery」、ヴォルフガング・ティルマンスやゲルハルト・リヒター、ミリアム・カーンなど、世界の最先端を走るアーティストを紹介する「WAKO WORKS OF ART」や、谷中にある「SCAI THE BATHHOUSE」が運営する「SCAI PIRAMIDE」は、最先端のアートに出合える場として人気です。ほかのギャラリーも個性派ぞろい。1日かけてめぐってみましょう。

**ピラミデビル**
ぴらみでびる
**港区六本木 6-6-9**

¥ 入館料無料

都営大江戸線・日比谷線六本木駅から徒歩2分

**ペロタン東京**　ピラミデビル1階
ぺろたんとうきょう
03-6721-0687　11:00～19:00
休 日・月曜、祝日　https://www.perrotin.com/

**Yutaka Kikutake Gallery**　ピラミデビル2階
ゆたかきくたけぎゃらりー
03-6447-0500　12:00～19:00
休 日・月曜、祝日
https://www.yutakakikutakegallery.com/

**ZEN FOTO GALLERY**　ピラミデビル2階
ぜんふぉとぎゃらりー
03-6804-1708　12:00～19:00
休 日・月曜、祝日　https://zen-foto.jp/jp

**WAKO WORKS OF ART**　ピラミデビル3階
わこうわーくすおぶあーと
03-6447-1822　11:00～18:00
休 日・月曜、祝日、展示替え期間
https://www.wako-art.jp/

**SCAI PIRAMIDE**　ピラミデビル3階
すかいぴらみで
03-6447-4817　12:00～18:00
休 日・月・火・水曜、祝日、展示替え期間
https://www.scaithebathhouse.com/ja/

**オオタファインアーツ**　ピラミデビル3階
おおたふぁいんあーつ
03-6447-1123　11:00～19:00
休 日・月曜、祝日　https://www.otafinearts.com/ja/

# 大倉集古館

東洋的な佇まいの入口を守る、鎌倉～南北朝時代の金剛力士像。

1 建物内の意匠も鑑賞ポイント。伊東忠太が故郷の山形で幼少期に親しんだ妖怪や、東西の空想上の動物を写したモチーフが隠れているので、見つけてみて。

2 美しい水盤が見渡せるテラスからの眺望は抜群。おすすめの休憩スポット。

## 現存する日本最古の私立美術館

明治から大正時代にかけて一大財閥を創り上げた実業家・大倉喜八郎が1902年につくった日本現存最古の私立美術館です。大倉は明治維新後に海外流失が頻発していた日本の文化財の保護と蒐集を精力的に行い、これが美術館誕生につながりました。現在の収集品は、日本・東洋各地域の古美術品や、嫡子の喜七郎が蒐集した日本の近代絵画などを中心に、国宝3件を含む約2500件です。

1927年に竣工した独特の雰囲気の建物は、築地本願寺など世界中の建築や文化から着想を得た設計で知られる伊東忠太のによるもの。世界各国に伝わる文化のエッセンスを取り入れた建物は、国の登録有形文化財です。

屋根の上にも注目。吻（ふん）と呼ばれる幻獣が建物を守っている。

**大倉集古館**
おおくらしゅうこかん
港区虎ノ門2-10-3

- 03-5575-5711
- 10:00～17:00（入館は閉館30分前まで）
- 休 月曜（祝日の場合は翌平日）、展示替え期間、年末年始
- ¥ 一般1000円ほか
- 東京メトロ南北線 六本木一丁目駅から徒歩5分 東京メトロ日比谷線 神谷町駅から徒歩7分
- https://www.shukokan.org/

# 21_21 DESIGN SIGHT

長さが54メートルにも達する１枚の鉄板屋根はどの角度から見ても圧巻！　左側の細長い窓もこだわりポイント。
撮影：吉村昌也

## デザインの奥深さを触れて体感

　東京ミッドタウンのガーデン内に位置する同施設は、デザインをより深く知るための活動拠点として生まれました。世界的なクリエイターを紹介することもあれば、デザインの過程やルール、未来という抽象的な概念など、さまざまなできごとやものごとをテーマにした展覧会やワークショップを開催しています。同館の創立は三宅一生(みやけいっせい)さんで、デザイナーの佐藤卓(さとうたく)さん、深澤直人(ふかさわなおと)さんが企画のディレクションを担当。楽しさや驚きに満ちた体験ができる展示がつくられています。

　刺激的な展覧会をよりドラマティックに演出する建物は、安藤忠雄さんが設計したもの。三宅一生さんの服づくりのコンセプト「一枚の布」に着想を得てつくられた、1枚の鉄板を折り曲げたように見える大きな屋根がポイントです。建物の8割近くが地下にあるにもかかわらず、コンクリート壁の間に設けられた長

い積層ガラスや、三角形のサンクンコートから光が存分に注ぎ込み、開放感たっぷり。考えや発想がひっくり返るような好奇心にあふれた場所です。

こだわりポイント

### デザインのこだわり

展示作品はもちろんのこと、展示に使う什器や小道具などもゼロから作成する。写真左上から時計回りに、2021年7月～11月の「ルール？展」、2022年6月～2023年2月の企画展「クリストとジャンヌ＝クロード“包まれた凱旋門”」、2019年11月～2020年9月「㊙展 めったに見られないデザイナー達の原画」。

撮影すべて：吉村昌也

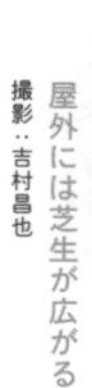

屋外には芝生が広がる。
撮影：吉村昌也

## 21_21 DESIGN SIGHT

とぅーわん・とぅーわん・でざいんさいと

港区赤坂9-7-6 東京ミッドタウン ミッドタウン・ガーデン

- ☎ 03-3475-2121
- 10:00～19:00（入館は閉館30分前まで）※展示内容により異なる
- 休 火曜、年末年始、展示替え期間
- ¥ 展示内容により異なる
- 都営地下鉄大江戸線・東京メトロ日比谷線六本木駅から徒歩5分 東京メトロ千代田線乃木坂駅から徒歩5分
- http://www.2121designsight.jp

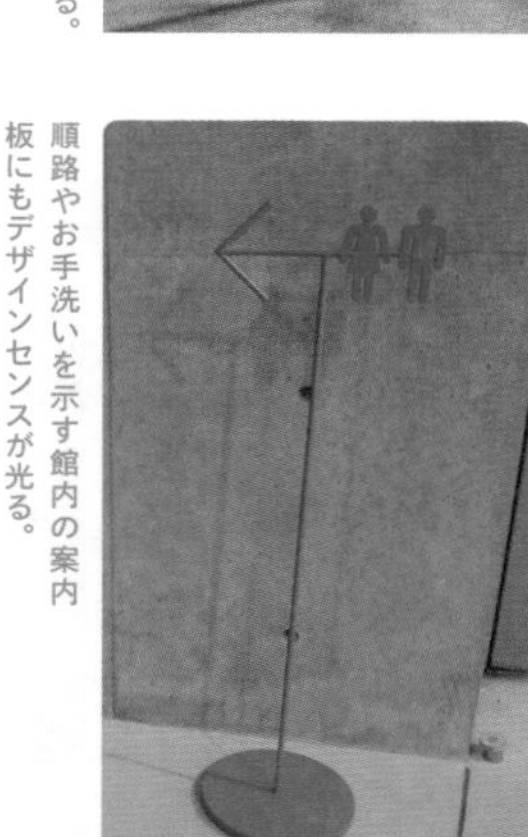

順路やお手洗いを示す館内の案内板にもデザインセンスが光る。

# 菊池寛実記念 智美術館

エントランスから展示室へのらせん階段。ガラス製の手すりが美しい。

①展示デザインはアメリカのスミソニアン自然史博物館の元展示デザイナー、リチャード・モリナロリさんが担当。

②カフェ「茶楓」からは日本庭園を一望できる。至福のひとときを。

## 現代陶芸を洗練された空間で

設立者である菊池智（１９２３〜２０１６）が蒐集した現代陶芸のコレクションを公開する目的で、父の寛実が晩年の拠点とした虎ノ門の閑静な高台に、２００３年に創設された美術館。現在活躍中の陶芸家の個展を中心に、現代工芸の企画展を年３・４回開催しています。建築や内装は意匠が凝らされ、優美ならせん階段を降りた先にある展示室には、伝統的な器から、革新的なオブジェまで幅広い作品が並びます。ライティングも工夫が施されており、古陶とは違った新しい作品の魅力を感じられるはず。併設のカフェ「茶楓」では日本庭園を眺めながら、鑑賞後のひとときをゆっくりと過ごすことができます。

敷地内には美術館のあるビルと、大正時代に建てられた文化財の西洋館などが日本庭園を囲むように建ち並ぶ。ビルの外壁全面には、暖かい色のライムストーンが使われている。

**菊池寛実記念**
**智美術館**
きくちかんじつきねん
ともびじゅつかん

港区虎ノ門4-1-35
西久保ビル

☎ 03-5733-5131

11:00 ～ 18:00
（入館は閉館30分前まで）

休 月曜（祝日の場合は翌日）、年末年始、展示替え期間

¥ 一般1100円ほか

東京メトロ日比谷線
神谷町駅から徒歩6分

https://www.musee-tomo.or.jp

**サロン「茶楓」**
☎ 03-6453-0097
11:00 ～ 18:00（L.O.17:30）
休 月曜（祝日の場合は翌日）

# TOTOギャラリー・間

## デザイナー、建築家を深掘りする空間

2022年に開催された「末光弘和＋末光陽子 / SUEP.展」の展示風景。

1 ふたつの会場をつなぐ中庭の風景。「末光弘和＋末光陽子 / SUEP.展」の「シェーディングドーム」。

2 2階にあるBookshop TOTOには建築関係などの書籍・雑誌が並ぶ。

住宅設備機器メーカーのTOTOが運営する、建築の専門ギャラリー。国内外の建築家やデザイナーの個展を開催することで知られています。展示のデザインや構成は出展者自らが行うことで、展覧会、そして展示空間そのものをその人の「作品」にするというスタイルがとられています。また、ギャラリー自体も中庭がある独特の空間なので、その使い方によって出展者の個性が際立ってくるのも面白いところ。2階に併設されたBookshop TOTOでは、国内外の建築・デザイン・インテリアに関する書籍・雑誌や、こだわりの雑貨がセレクトされています。

書店ではデザイン雑貨も取り扱っている。
©Masumi Kawamura

**TOTOギャラリー・間**
とーとーぎゃらりー・ま
港区南青山1-24-3
TOTO乃木坂ビル3階

☎ 03-3402-1010

🕒 11:00～18:00

休 月曜、祝日、年末年始、夏季休暇、展示替え期間

¥ 入館料無料

🚃 東京メトロ千代田線乃木坂駅から徒歩1分
都営地下鉄大江戸線六本木駅から徒歩6分

🌐 https://jp.toto.com/gallerma/

column 3

本好きにおすすめのアートスポット②

# 市谷の杜 本と活字館

2020年にオープンした、活字の母型彫刻機や印刷機を「動態展示」するミュージアム。本や活字好きのみならず、工場見学好きも心ときめくスポットです。

## 活字が生まれる過程を体験しながら学ぶ

大日本印刷市谷工場の一部を再利用した同館は、「リアルファクトリー」がコンセプトの展示施設。活字の製造から印刷・製本までの過程を、実際に印刷機を稼働させたり、活字を拾う文選職人が働いたりするという形で公開しています。1926年に建設されたアール・デコの雰囲気も漂う建物のなかで、印刷の奥深さ、活字の美しさを体感することができます。

## かつての印刷工場を一部再現

活版印刷は鋳型となる「母型」を彫り、鋳造してできた活字を一文字ずつ手で拾って版を組んだ後に、ようやく印刷機にかけるという手間のかかる作業。館内の「印刷所」では、今ではなかなか見られない、職人が活字を拾って、印刷機にかけるまでの作業風景を公開しています。細かい活字がぎっしりとつまった棚の並ぶ風景は圧巻です。

## 多彩なイベントを開催

「市谷の杜 本と活字館」では、ポチ袋やリングノートづくりなどのワークショップ、普段は入れない作業エリアを見学する「印刷所ツアー」、活字拾いから植字、校正、印刷、製本までを数ヵ月かけて行う「活版印刷で本づくり」など、気軽に参加できるものから本格的なものまで多くのイベントを開催。体験を通して印刷や本づくりに関する知識を深められます。

**展示室もチェック！**

体験を通して活字や活版印刷、本づくりにまつわる企画展示を年に3回開催。展示室も入場無料なのがうれしいところです。

**市谷の杜 本と活字館**
いちがやのもり ほんとかつじかん
**新宿区市谷加賀町 1-1-1**

03-6386-0555

11：30〜20：00
平日は要予約（土・日曜・祝日 10：00〜18：00）

月・火曜
（祝日の場合は開館）

https://ichigaya-letterpress.jp/

入館料無料（イベントは別途料金）

東京メトロ南北線・有楽町線市ケ谷駅から徒歩 10 分
JR・都営新宿線市ケ谷駅から徒歩 15 分

牛込第三中
東京メトロ南北線
東京メトロ有楽町線
都営新宿線
市ケ谷駅
JR総武線

# 池袋・目白・駒込・落合エリア

Ikebukuro, Mejiro, Komagome, Ochiai

1. 豊島区立熊谷守一美術館
2. 自由学園明日館
3. 新宿区立中村彝アトリエ記念館
4. 新宿区立佐伯祐三アトリエ記念館
5. 新宿区立林芙美子記念館
6. 切手の博物館
7. 永青文庫
8. 鳩山会館

東洋文庫ミュージアム
(map p.89)

展示内容によって、開館時間や入館料金が異なることがあります。
お出かけ前に、各館の公式ウェブサイトなどをご確認ください。

# 豊島区立 熊谷守一美術館

作家が使用していたパレットには、絵の具の跡がくっきりと残っている。作品と一緒に眺めれば、新たな魅力に気付かされる。

1 1階展示室は油絵、掛け軸、陶器などを展示。奥にチェロも展示されている。

2 2階の常設展示室では墨絵や書が展示されている。

3 3階は貸しギャラリー。自主企画展も行われる。写真は2022年の熊谷守一遺品展「モリのもの」。

## 独立独歩の画家が愛した地に建つ

シンプルな構図と明快な配色の油彩画で今も評価の高い画家、熊谷守一（くまがいもりかず）。彼は千早町（ちはや）（現・千早）に45年暮らし、晩年の20年間はほとんど家から出ず、自宅の庭に咲いた花や訪れた虫を描いて過ごしていました。その自宅兼アトリエ跡地に1985年、次女で画家・彫刻家の熊谷榧（かや）が当初は私設でこの美術館を建てました。館内には守一の油彩約30点のほか、墨絵や書も展示しています。コンクリートブロックがむきだしになった展示室はシンプルながらも、勾配やゆるやかなカーブがつけられていて、味のある空間。愛用のチェロ、使用していたイーゼルなども展示されています。

### 展示室へのこだわり

美術館や展示室の入口、お手洗いなどの案内プレートは陶器製。視界に入ると、思わず足を止めてしまう印象的なもの。

美術館の外壁には熊谷守一の作品をモチーフにした虫の絵がふたつが隠れている。榧の希望でこのようなユニークな外観になった。

## 細部までかわいらしい空間が広がる

同館で楽しいのは、細部までかわいらしさに満ちていること。建物の外観には、大きなアリや熊蜂の絵とサインが彫り込まれ、館内の案内板にもアゲハ蝶などがあしらわれた陶板が使われています。これらの細やかな仕掛けを見つけるのもワクワクします。開館当初から2022年まで館長を務めていた次女・榧の作品も、入口近くの半地下の休憩スペース「Cafe kaya」で堪能できます。彫刻作品や、画集を眺めながらのんびりとした時間を過ごすのも一興。半円形のベンチスペースは、楽しい語らいの場になっています。

オリジナルグッズの絵葉書は、味のある木箱に入っている。

**豊島区立**
**熊谷守一美術館**
としまくりつ
くまがいもりかずびじゅつかん
**豊島区千早 2-27-6**

- 03-3957-3779
- 10:30 ～ 17:30（入館は閉館 30 分前まで）
- 休 月曜、年末年始、臨時休館日
- ¥ 一般 500 円ほか
- 東京メトロ有楽町線・副都心線 要町駅から徒歩 9 分
- http://kumagai-morikazu.jp

# 自由学園明日館

ホールの大きな窓からは前庭が眺められる。冬季は暖炉に火もともる。

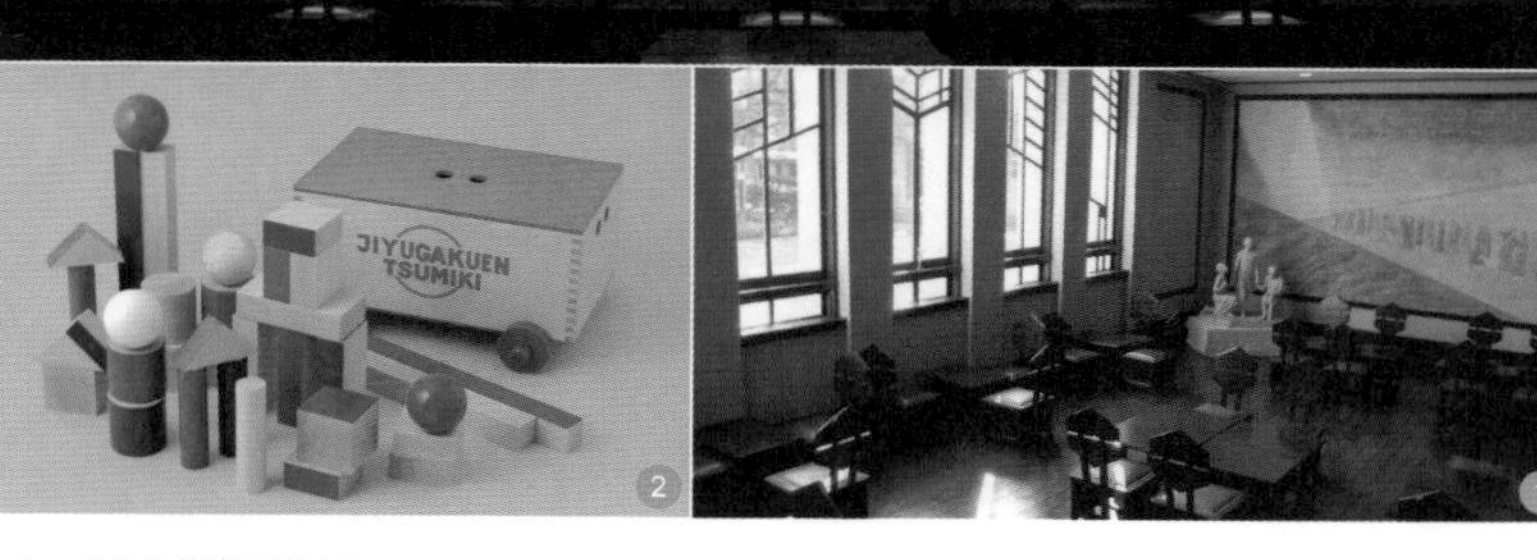


① ホールには修復工事中に発見された壁画も。生徒たちが旧約聖書をモチーフに制作したもの。

② ショップでは写真の「学園積木」ほか、「コルク積木（木箱入り）」などが売られている。

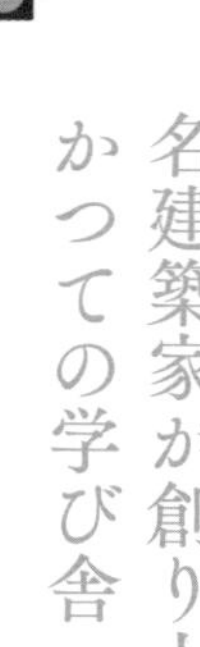

## 名建築家が創り上げた かつての学び舎

20世紀を代表する建築家、フランク・ロイド・ライト。旧帝国ホテルなど多くの名建築を残した彼は、自由学園の創立者、羽仁もと子・吉一夫妻の教育理念に共感、明日館を設計しました。とくに美しいのは建物の中心部にあるホール。幾何学模様のステンドグラス調の窓から注ぐ自然光は、室内を神秘的に照らします。建物は、食堂や教室、廊下やドアなど、細かいところまで見どころが多く、建物好きはなかなか順路を進めないはず。建物内にあるショップでは、ライトの弟子である遠藤新と共同開発した「学園積木」など、長く愛される玩具や雑貨が取り揃えられています。

向かって左手にあるショップでは、ライトのデザインをとり入れたグッズも扱う。

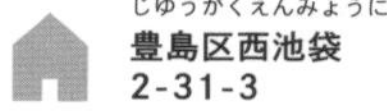

**自由学園明日館**
じゆうがくえんみょうにちかん
**豊島区西池袋 2-31-3**

- ☎ 03-3971-7535
- 平日 10:00 ～ 16:00
  夜間見学（毎月第3金曜日）18:00 ～ 21:00
  休日見学（毎月1日程度）10:00 ～ 17:00
  （入館は閉館30分前まで）
- 休 月曜（祝日の場合翌日）、年末年始、不定休（事前にHPで確認を）
- ¥ 喫茶付見学 800 円ほか
- JR 池袋駅から徒歩5分　JR 目白駅から徒歩7分
- http://www.jiyu.jp

新宿区立

# 中村彝アトリエ記念館 佐伯祐三アトリエ記念館 林芙美子記念館

中村彝
アトリエ記念館

## 芸術家たちが暮らした街、落合を探訪しよう

大正・昭和の初期はまだ静かな郊外だった落合(現・新宿区)。台地の起伏に富んだこの地には、文学者や芸術家たちが移り住み、互いに交流を重ねながら創作活動を行いました。洋画家の中村彝（つね）、佐伯祐三、作家の林芙美子もこの地で数々の作品を生み出しました。今では、作家の住まいやアトリエが記念館として一般に公開されています。

中村彝アトリエ記念館は大正時代の建築部材を床や天井、腰板などに利用して復元したもの。展示室では代表的作品を高精細度写真で鑑賞できます。

佐伯祐三アトリエ記念館は、彼がフランスへ渡る前、大正・昭和期のわずかな期間を暮らした場所にあります。北側に大きく窓がとられた三角屋根のアトリエ建築を鑑賞できます。

林芙美子記念館は、山口文象設計による数寄屋（すきや）風の建物。林は実際に京都に建物の見学に出かけたり、自身で勉強したりと、建築に思い入れを持っていたそうです。

どの記念館もご近所。ぜひあわせてお出かけください。

佐伯祐三アトリエ記念館のオリジナルグッズ。《下落合風景》をモチーフにしたクリアファイル（350円）。

### 新宿区立<br>中村彝アトリエ記念館

しんじゅくくりつなかむらつねあとりえきねんかん

新宿区下落合 3-5-7

- ☎ 03-5906-5671
- 10:00～16:30（入館は閉館30分前まで）
- 休 月曜（祝日の場合は翌平日）、年末年始
- ¥ 入館料無料
- JR 目白駅から徒歩 8 分
- https://www.regasu-shinjuku.or.jp/tsune/

### 新宿区立<br>佐伯祐三アトリエ記念館

しんじゅくくりつさえきゆうぞうあとりえきねんかん

新宿区中落合 2-4-21

- ☎ 03-5988-0091
- 10:00 ～ 16:30（5 月～ 9 月）<br>10:00 ～ 16:00（10 月～ 4 月）
- 休 月曜（祝日の場合は翌平日）、年末年始
- ¥ 入館料無料
- 西武新宿線下落合駅から徒歩 10 分
- https://www.regasu-shinjuku.or.jp/saeki/

### 新宿区立林芙美子記念館

しんじゅくくりつはやしふみこきねんかん

新宿区中井 2-20-1

- ☎ 03-5996-9207
- 10:00 ～ 16:30（入館は閉館30分前まで）
- 休 月曜（祝日の場合は翌平日）、年末年始
- ¥ 一般 150 円ほか
- 都営地下鉄大江戸線・西武新宿線<br>中井駅から徒歩 7 分
- https://www.regasu-shinjuku.or.jp/fumiko/

写真提供：新宿区立新宿歴史博物館

孟宗竹などが植えられた玄関。

林芙美子が書斎に使っていた部屋。

# 切手の博物館

## いろいろな地域の、ちいさくてかわいい切手がせい揃い

目白駅から坂を降りて徒歩3分。その名のとおり、国内外の切手を集めた私立博物館。国際的な切手収集家の水原明窓（めいそう）が創設した財団が母体となり、35万種以上におよぶ切手や封筒、図書などを収集・展示しています。カラフルなものや、精緻な表現のものなど、色鮮やかな切手がテーマに沿って展示され1点1点凝視してしまいます。使用済み切手を使った「切手はり絵」のワークショップは隠れた人気イベント。そして同館ならではのポイントは、入館料金を未使用の日本切手で支払えること（現在休止中）。1円や7円など、小額なために使いにくい切手を利用するのもおすすめです。毎月23日は「ふみの日」のため入館無料になるのもうれしい！

スタンプや郵便屋を形どった案内板があちこちに。手紙を出したくなるキュートさ。

1. 3ヵ月ごとにテーマをかえて約800点の切手を紹介している。
2. 郵便関連書籍を集めた専門性の高い図書室は、広々としている。

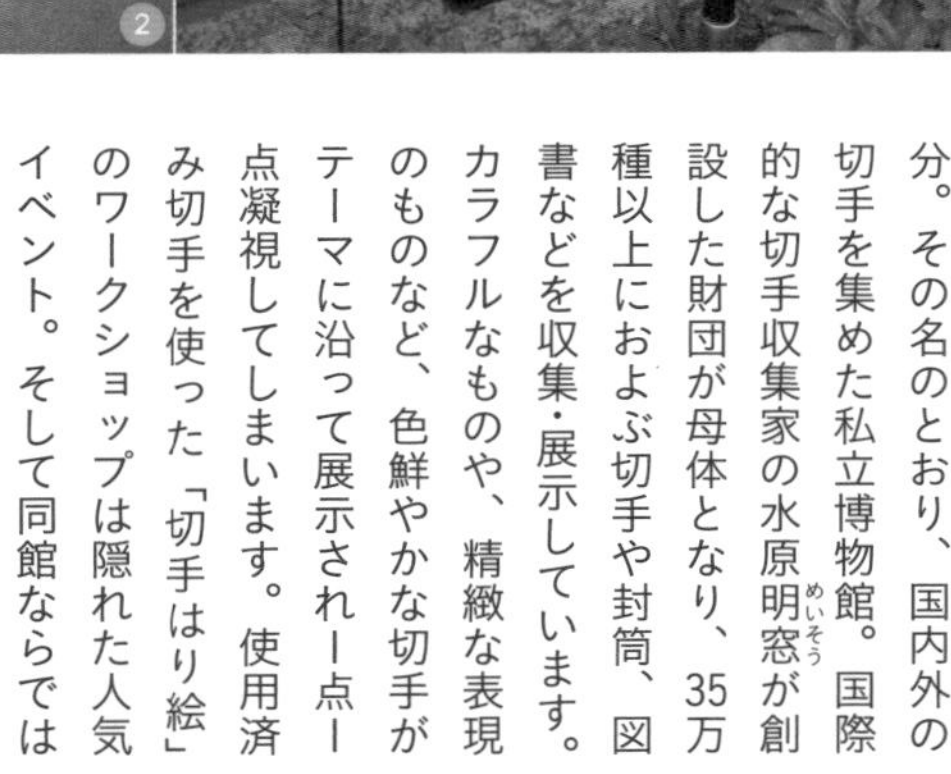

スーベニア・コーナーではオリジナルグッズのほか、海外の郵便グッズ、切手が揃う。

**切手の博物館**
きってのはくぶつかん
**豊島区目白1-4-23**

- 03-5951-3331
- 10:30～17:00
- 休 月曜、年末年始、展示替え期間
- ¥ 一般200円ほか
- JR目白駅から徒歩3分
- https://kitte-museum.jp/

# 永青文庫

① 展示室は蔵の名残が見られるポイントがあちこちに。建物も一緒に楽しみたい。

② 庭は武蔵野の面影を残す。

## 品格ある邸宅を訪れているような気分で

江戸時代には熊本を治め、歴史の立役者を輩出し続けてきた細川家。第16代当主、細川護立（もりたつ）がこの美術館を創設し、蒐集した禅画や刀剣、近代絵画のほか、細川家に代々伝わる作品を一般公開しています。とくに護立が集めた白隠（はくいん）の書画は国内最大級、刀剣類も国宝が含まれています。

以前は侯爵家の事務所として使用されていた本館、第17代当主、細川護貞（もりさだ）の邸宅として使用されていた別館、どちらもモダンな雰囲気。階段や廊下などになにげなく置かれた本棚の本のなかにも護立のコレクションが含まれているそうなので、建物も細部までじっくり眺めてみましょう。庭園は江戸川公園と隣接しているので、散策もどうぞ。

**永青文庫**
えいせいぶんこ
**文京区目白台 1-1-1**

- ☎ 03-3941-0850
- 🕒 10:00 ～ 16:30（入館は閉館30分前まで）
- 休 月曜（祝日の場合は翌日）、年末年始、展示替え期間
- ¥ 一般 1000 円ほか（一部展覧会を除く）
- 🚃 東京メトロ有楽町線 江戸川橋駅から徒歩15分 東京メトロ副都心線 雑司が谷駅から徒歩15分
- 🌐 https://www.eiseibunko.com

モダンな別館の建物は今里隆（いまざとたかし）さんが設計。※現在は閉館中（再開は未定）。

目の前をずらりと本が囲むモリソン書庫。撮影OKなのがうれしい。

# 東洋文庫ミュージアム

## 100万冊の蔵書が織りなす 知の殿堂

アジア全域の歴史と文化、研究に関しては日本最古にして最大級の図書館、東洋文庫が持つ資料を鑑賞できるミュージアムです。アジア関連の欧文書籍や絵画、冊子などを集めた、通称「モリソン文庫」約2万4000点が出発点。1917年に三菱第3代当主、岩崎久彌が一括で購入しました。今や100万点以上もの保有資料を誇っています。そのモリソン書庫の展示風景は壮観！ 3階分の吹き抜けにぎっしりと資料が並ぶ様は、本好きにはたまらない眺めです。

国宝、重要文化財指定品や浮世絵の名品など多彩な資料が並ぶ「岩崎文庫」や、企画展示を行うディスカバリールームなど、現代に残された書籍や資料のなかにある美をクローズアップする展示も充実。

併設レストラン「オリエント・カフェ」は、岩崎家に縁の深い小岩井農場がプロデュース。シーボルトゆかりの植物が植えられたシーボルト・ガルテンや、知恵の小径など、単なる知の宝庫に留まらない場です。

アジア各地の名言が原語で刻まれたパネルが並ぶ知恵の小径。

世界中の言語で記された古書が展示されるオリエントホール。

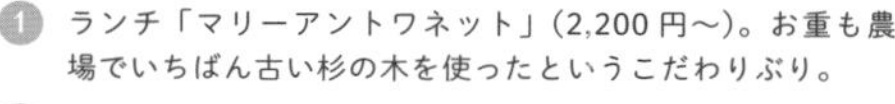

① ランチ「マリーアントワネット」(2,200円〜)。お重も農場でいちばん古い杉の木を使ったというこだわりぶり。

② 明るい日差しがふりそそぐ「オリエント・カフェ」は地元の人々にも人気。

## 東洋文庫ミュージアム

とうようぶんこみゅーじあむ

文京区本駒込 2-28-21

☎ 03-3942-0280

🕒 10:00 〜 17:00（入館は閉館 30 分前まで）

休 火曜（祝日の場合は翌平日）、年末年始、展示替え期間、臨時休館日

¥ 一般 900 円ほか

🚃 JR・東京メトロ南北線駒込駅から徒歩 8 分 都営地下鉄三田線千石駅から徒歩 7 分

🌐 http://www.toyo-bunko.or.jp/museum/

こだわりポイント

### 展示へのこだわり

タッチパネルで閲覧できるデジタル化された貴重書や、東洋文庫の名品をデジタル画像で解説するなど、最新の技術を盛り込んだ展示が盛りだくさん。館内の BGM もオリジナル！

館内 BGM を収録した CD は購入できる。作曲はブラザース・フォアのボブ・フリックさん。

# 鳩山会館

第2応接室の中央の椅子は、鳩山一郎のお気に入りだったという。

## 政治の舞台にも しばしば登場する音羽御殿

日本の近代政治、教育界に大きな影響を与え続けている鳩山家。関東大震災から1年後の1924年に、この土地に鳩山一郎が邸宅を建て、令和6(2024)年に竣工百年を迎えます。設計したのは黒田記念館(p16-17)なども手掛けた岡田信一郎。当時としては最先端の工法を駆使した美しいイギリス風の住宅は、現在、記念館として気軽に見学できるようになりました。美しい邸宅内には、内閣総理大臣を務めた一郎、外務大臣の威一郎(いいちろう)、そして共立女子大学の元学園長、薫の記念室がそれぞれ設けられ、その偉業が展示されています。ステンドグラスや優雅な大広間、サンルーム、さらに要人も日参したという第2応接室など、どの場所も優雅そのもの。庭園のバラや桜が美しく、ゆったりと過ごせます。

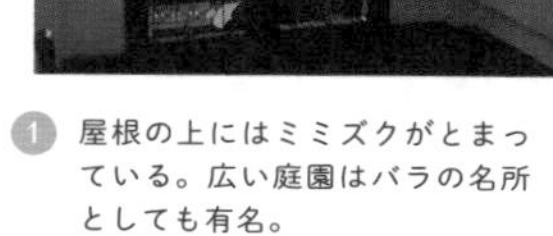

1 屋根の上にはミミズクがとまっている。広い庭園はバラの名所としても有名。

2 ステンドグラスに描かれた五重塔は立体感があり、見る角度によって輝き方が異なる。

**鳩山会館**
はとやまかいかん
**文京区音羽 1-7-1**

- ☎ 03-5976-2800
- 10:00 ~ 16:00(入館は閉館30分前まで)
- 休 月曜(祝日の場合は翌日)※1~2・8月は資料整備と修繕のため休館
- ¥ 一般600円ほか
- 東京メトロ有楽町線江戸川橋駅から徒歩7分 東京メト有楽町線護国寺駅から徒歩8分
- http://www.hatoyamakaikan.com

門扉には鳩山家の家紋「尻合わせ三つ結び雁金」。

small museums in Tokyo

8

# 新宿・練馬エリア Shinjuku, Nerima

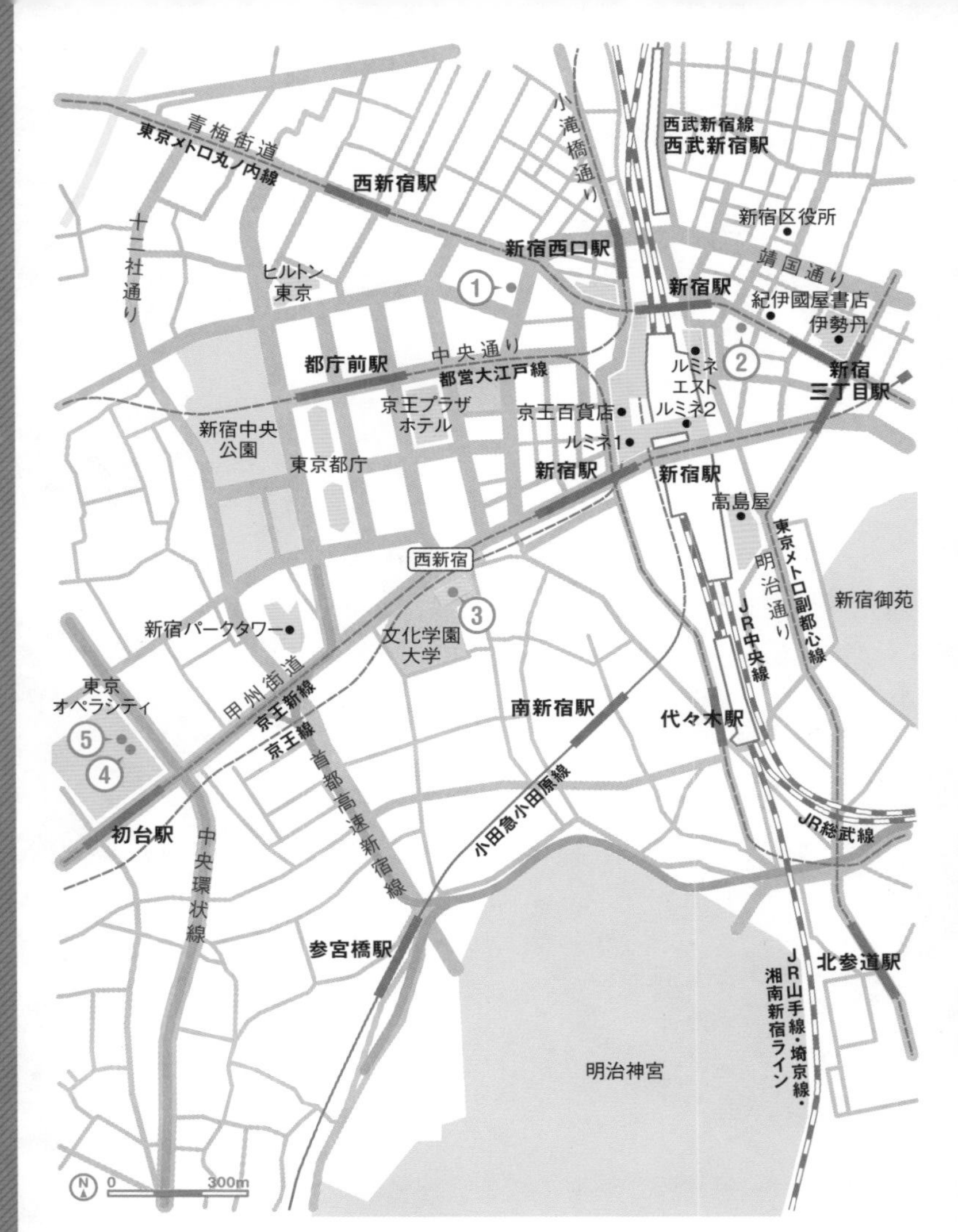


草間彌生美術館 (map p.94)
永井潔アトリエ館 (map p.97)
ちひろ美術館・東京 (map p.101)
東京おもちゃ美術館 (map p.104)

1. SOMPO美術館
2. 中村屋サロン美術館
3. 文化学園服飾博物館
4. 東京オペラシティ アートギャラリー
5. NTT インターコミュニケーション・センター[ICC]

展示内容によって、開館時間や入館料金が異なることがあります。
お出かけ前に、各館の公式ウェブサイトなどをご確認ください。

# 草間彌生美術館

展覧会ごとに変わるエントランスの作品。取材時は水玉模様のバルーン《水玉強迫》（1996/2022年）がお出迎え。

1 室内の水玉模様がブラックライトで光る《I'm Here, but Nothing》（2000/2022年）。写真はすべて「毎日愛について祈っている」展（2022年10月7日～2023年2月26日）のもの。

2 草間さんは幼少の頃から風景が水玉や網目に覆われてしまう幻覚に悩まされていた。

3 壁と床、上下の感覚があいまいとなり、視界の変化に不安も感じる幻想的な風景。

## 国際的芸術家が見続けた水玉の世界が今ここに

世界的ブランド、ルイ・ヴィトンのコラボや、瀬戸内海は直島に佇むカボチャの作品などで国際的に知られる前衛芸術家、草間彌生さん。彼女は幼い頃から悩まされてきた幻覚や幻聴を原体験とし、水玉模様や網目模様をモチーフにした絵画を制作しています。1957年の渡米後も精力的に活動を行い、前衛芸術家としての地位を確立。国際芸術祭や、世界各地での個展などが開催され、2016年には文化勲章を受章しています。同館は彼女の作品や関係資料を展示するために2017年に開館しました。

エレベーターのなかも水玉！

1 最上階の《命》（2015年）。吹き抜けの天井からは青空、大きな窓からは街並みが広がる。

2 作品集などを閲覧できる資料室。

3 入館は予約制なのでご注意を。

# 館内の隅々まで草間ワールド

5階建ての館内は、年約2回のペースで企画展が開催されています（常設展示なし）。鑑賞者は1階から5階まで階段を上がりながら、絵画や映像、インスタレーションに立体作品とバラエティに富んだ草間作品を見て歩きます。

最上階の5階屋上ギャラリーは草間作品と東京の風景をあわせて見ることができる、開放感たっぷりの絶景スポット。同じく5階のブラウジングスペースでは、草間彌生さんに関する国内外の資料を閲覧できます。1階のショップでは、水玉模様がかわいいゴーフルなどオリジナルグッズが充実。買い物の時間も予定に含めておきましょう。

同館限定「プティ・ゴーフル」には上野風月堂の人気お菓子が（写真上）。ハンカチなどのグッズも揃う。

**草間彌生美術館**
くさまやよいびじゅつかん
**新宿区弁天町 107**

- info@yayoikusamamuseum.jp
- 11:00 ～ 17:30（入場は日時指定の完全予約・定員制）
- 休 月・火・水曜（祝日を除く）、年末年始、展示替え期間、館内メンテナンス期間
- ¥ 一般 1100 円ほか（購入はウェブサイトのみ、窓口販売なし）
- 東京メトロ東西線早稲田駅から徒歩 7 分、神楽坂駅から徒歩 9 分　都営地下鉄大江戸線牛込柳町駅から徒歩 6 分
- https://yayoikusamamuseum.jp/

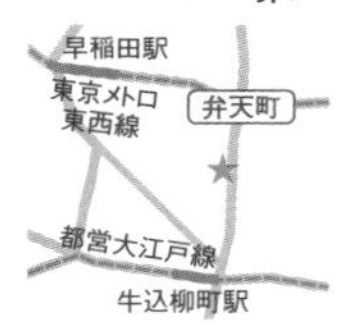

# 永井潔アトリエ館

やわらかい光が北側の窓から差し込む、天井の高い展示室（旧アトリエ）。

1 玄関を飾る《燃える心臓》はゴーリキーの小説に基づく晩年の大作。

2 永井は頻繁に娘の愛をモデルにした。《母子》も妻と一人娘（愛）を描いた作品。

3 永井の元寝室も展示室となっている。イーゼルの絵は、当時93歳間近の母親を描いた《手紙の媼》。

## 住宅地にひっそりと佇む芸術家のアトリエ

東京メトロ平和台駅から徒歩9分、閑静な住宅街にある同館は、画家で著述家でもあった永井潔（1916〜2008）のアトリエ兼住居をリノベーションしたもの。永井は、旧制一高（現在の東京大学）に進学するも、画家を志し中退。リアリズムを追求し、数多くの作品を残しています。また、理論家としても知られており、数多くの芸術論や評論を発表しました。

同館を2017年に開いたのは永井の娘で日本演劇界を代表する劇作家・演出家、永井愛さん。現在は毎年新たな企画展を開催。永井の芸術をさまざまな切り口で紹介しています。

### 展示へのこだわり

永井の旧制中学時代の絵日記や、画集、修復に際しての資料などを展示。永井の足跡が鮮やかに浮かび上がる。

## 芸術家が過ごした住まいを そのままの姿で公開へ

洋画家として知られていた永井ですが、実は児童書などの挿絵画家としても活躍していました。館内にある「絵のあるカフェ〝et café〟」では、水彩やユーモラスな挿絵、色紙など、展示室の作品とは趣きの異なる永井の作品を展示しています。動物や人物はとてもかわいらしく、リアリズムをとことんまで追求した油彩画作品との大きなギャップがありますが、それが永井の魅力。

また、旬の野菜をふんだんに使った体にやさしい料理はカフェの人気メニュー。本棚にある永井や館長の永井愛さんの著書や関連する書籍をのんびり閲覧しながら、鑑賞の余韻を楽しみましょう。

1. 永井が使用していたパレットや絵具類。奥には資料としていた画集なども並ぶ。
2. 館内カフェでは水彩画や挿絵作品など、油彩画とはまた違う作品を展示。
3. バラエティ豊かな絵はがきのほか、挿絵てぬぐいなどグッズも充実している。
4. 体にやさしい月替りのおかずが好評。写真は「あずき入り玄米ごはんのおかずいろいろ定食」(1,000円)。

### 永井潔アトリエ館
ながいきよしあとりえかん

練馬区早宮 4-6-5

- ☎ 03-3991-9889
- 毎週土曜 11:00 ～ 17:00 (入館は閉館 30 分前まで) カフェ L.O.16：00
- 休 土曜以外および 2月・8月、年末年始
- ¥ 一般 300 円ほか
- 東京メトロ有楽町線・副都心線 平和台駅から徒歩 9 分 都営大江戸線 練馬春日町駅から徒歩 13 分
- https://www.nagaikiyoshi-atelier.com/

# SOMPO美術館

## ゴッホの名作《ひまわり》に出合える場所

東京都庁をはじめ高層ビルが建ち並ぶ新宿副都心にある同館は、名建築とうたわれる内田祥三設計（1976年）の損保ジャパン本社ビルの42階に「東郷青児美術館」として開館。その後、いくたびかの館名変更ののち、2020年に隣接する現在の建物に移転・オープンしました。

バラエティ豊かな企画展示を精力的に開催するほか、常設展示作品となっているゴッホ《ひまわり》や、美術館の開館に協力した洋画家・東郷青児（とうごうせいじ）の作品、近現代の洋画など豊富なコレクションを随時展示しています。陽光が注ぐエントランスやショップは開放感あふれる空間です。

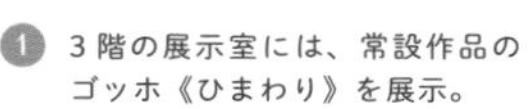

1. 3階の展示室には、常設作品のゴッホ《ひまわり》を展示。
2. ショップの天井は外観に合わせてカーブを描いている。
3. 白を基調とした展示空間で、さまざまなジャンルの展覧会が開催される。
4. エントランスは曲線を多く使用し、親しみのある雰囲気に。

外壁につけられた曲線状のスリットは、損保ジャパン本社ビルの曲線に呼応させたもの。

**SOMPO美術館**
そんぽびじゅつかん
**新宿区西新宿 1-26-1**

- 050-5541-8600（ハローダイヤル）
- 10:00 ～ 18:00（入館は閉館 30 分前まで）
- 休：月曜（祝日の場合は開館）、展示替え期間、年末年始
- ¥：展覧会により異なる
- ＪＲ・東京メトロ新宿駅から徒歩５分　東京メトロ西新宿駅から徒歩６分
- https://www.sompo-museum.org/

# ちひろ美術館・東京

ちいさな子どもが見やすいように作品は、ほかの美術館に比べて低めにかけている。

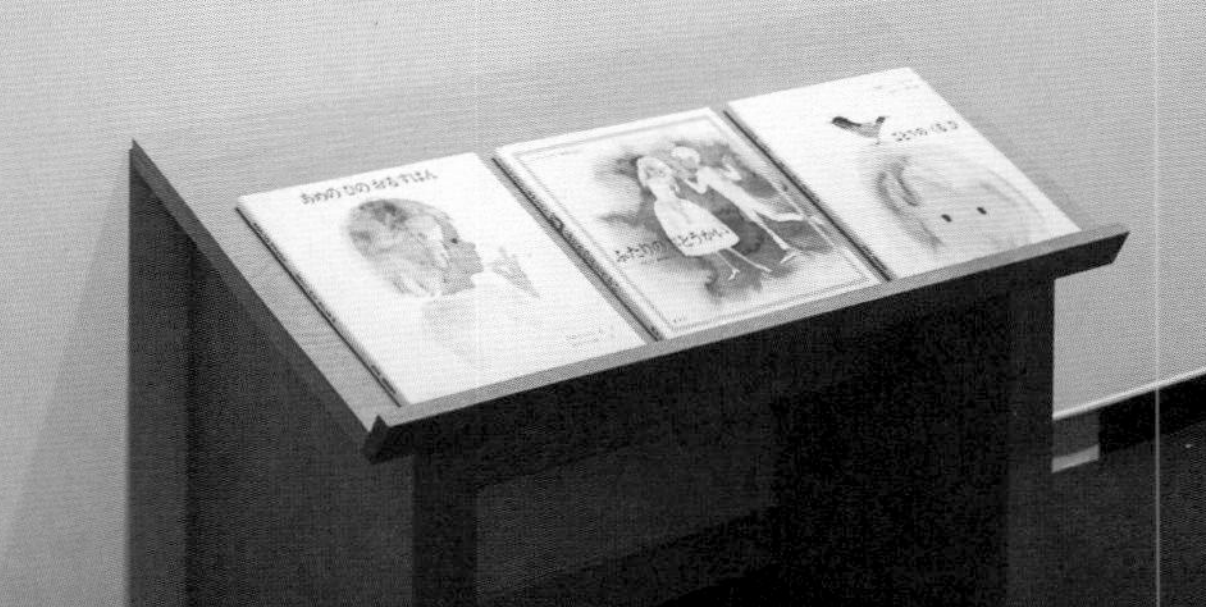

❶ アトリエも当時のまま残されている。左利きだったちひろの使いやすいように、画材が配置されている。

❷ 館内には展示室が4つあり、年に数回展示が替わる。

❸ ちひろが愛用していたソファは、鑑賞者もゆったりとくつろげる。

❷❸撮影：大槻志穂

## 子どもと一緒に訪れたい「はじめての美術館」

淡く繊細な色彩とタッチで人気が高い絵本作家、いわさきちひろ。彼女の絵は現在も多くの人々の心を魅了しています。自宅兼アトリエの跡につくられた同館は絵本専門の美術館として、ちひろだけでなく国内外の絵本や原画を、保存・研究公開しています。建築家・内藤廣（ひろし）さん設計による建物は、通路に自然光が差し込む心地よい空間。授乳室完備の「こどものへや」があり、また、展示されている絵や関連書籍は、通常よりも低めに置くなど、子どもたちが楽しむための工夫が凝らされています。子どもが人生ではじめて訪れる美術館「ファースト・ミュージアム」としても親しまれているそうです。

### 図書室へのこだわり

ちひろ以外にも、国内外の約2000冊を揃えている図書室は、ぜひのんびり過ごしたい。来館者が記した感想ノートを製本化した「ひとことふたことみこと」コーナーも必見。

ちひろが愛し、育てた草花や樹木が咲く「ちひろの庭」。椅子に座ってしばし休憩。

# 繊細な筆使い、色彩の美しさを間近で鑑賞

鑑賞後は、飲みものや手軽なお菓子のある「えほんカフェ」で一息。窓辺の緑を楽しみながら絵本を読み、のんびりした時間を過ごしましょう。ショップにはバラエティ豊かなオリジナルグッズが充実。ちひろのアトリエを再現したコーナーや、ちひろが愛した草花が育つ「ちひろの庭」など、見どころポイントが多くあり、大人でも飽きない美術館です。高校生以下は入館料無料なので、ぜひ家族でご一緒に。

館内にある、奥行きの違うベンチ。親子で並んで座れる形になっている。

1. 人気グッズのLEDライト付きルーペは、コンパクトで持ち運びに◎。
2. おすすめの書籍は黒柳徹子作の新版『絵本 窓ぎわのトットちゃん』（写真左）と、公式ガイドブック『まるごと ちひろ美術館』。

**ちひろ美術館・東京**
ちひろびじゅつかん・とうきょう
**練馬区下石神井 4-7-2**

- ☎ 03-3995-0612
- 10:00 ～ 17:00（入館は閉館 30 分前まで）
- 休 月曜（祝日の場合は翌日）、年末年始、冬季、展示替え期間
- ¥ 一般 1000 円ほか
- 西武新宿線上井草駅から徒歩 7 分
- http://www.chihiro.jp/tokyo/

# 中村屋サロン美術館

彫刻家や画家のほか、書家の會津八一や劇作家の秋田雨雀なども中村屋に集った。

## 若き芸術家たちが集った その地が美術館に

純インド式カリーや中華まんなどでその名を知られる新宿中村屋。創業者の相馬愛蔵・黒光夫妻は芸術や文学に関心が深く、中村屋には若き芸術家や文学者が自然と集い、後に「中村屋サロン」と呼ばれました。そのメンバーは、黒光への募る想いを彫刻《女》に託し、生涯を閉じた荻原守衛（碌山）や、相馬夫妻の長女・俊子や盲目の詩人エロシェンコなど多くの肖像画を残した中村彝ら、そうそうたる面々です。

同館は新宿駅からほど近くの新宿中村屋ビルの3階にあり、そのサロンに集った芸術家たちの作品が展示されています。帰りには同ビル内で新宿中村屋が運営するレストランやショップに立ち寄り、創業時から続く老舗の味を楽しみましょう！

1 写真は展示イメージ。企画により展示内容は変わる。

2 中村屋といえばクリームパンも有名。名物パンも帰りに同ビル内の「ボンナ」で買える。

**中村屋サロン美術館**
なかむらやさろんびじゅつかん
**新宿区新宿 3-26-13**
**新宿中村屋ビル 3 階**

- 03-5362-7508
- 10:30 ～ 18:00（入館は閉館 20 分前まで）
- 休 火曜（祝日の場合は翌日）、年末年始、展示替え期間
- ¥ 展示内容により異なる
- JR 新宿駅から徒歩 2 分
  東京メトロ丸ノ内線新宿駅直結
- https://www.nakamuraya.co.jp/museum/

お持ち帰りによい「スイーツ＆デリカ ボンナ」。ほかにレストランも同ビルにある。

# 文化学園服飾博物館

## 世界各地の「衣」文化を堪能

日本のファッションをけん引してきた文化学園を母体とする服飾専門の博物館。18世紀のヨーロッパのドレス、日本の近代の宮廷衣装や三井家伝来の着物、世界各地の民族衣装や服飾品、染織品など、歴史・文化を幅広く網羅したコレクションを所蔵しています。年に4回のペースで開催される企画展では、すべての展示品が入れ替えられます。貴重なコレクションを間近で鑑賞でき、さらには鏡のついた展示ケースで、バック・スタイルが見られるのもうれしい。文化学園服飾博物館オリジナルグッズで人気なのは、「糸へん手ぬぐい」です。染織に関する糸へんの漢字72字を伝統の注染で染めています。

1 19世紀のヨーロッパのドレスを紹介。

2 日本の着物に焦点を当てた展示の風景。気に入った角度から衣装を眺めることができる。

3 「糸へん手ぬぐい」。染められた糸へんの漢字は、普段よく使うものから、難読なものまでさまざま。

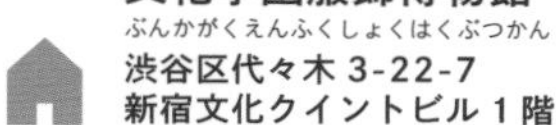

**文化学園服飾博物館**
ぶんかがくえんふくしょくはくぶつかん
渋谷区代々木 3-22-7
新宿文化クイントビル1階

- 03-3299-2387
- 10:00 ～ 16:30（入館は閉館30分前まで）
- 休：日曜、祝日、振替休日、夏期休暇、創立記念日（6月23日）、年末年始、展示替え期間
- ¥：一般500円ほか
- JR・京王線・小田急線新宿駅から徒歩7分
  都営地下鉄新宿線・大江戸線新宿駅から徒歩4分
- https://museum.bunka.ac.jp

地球儀のオブジェが目印。ビルの1階が博物館。

木のおもちゃで遊べる「赤ちゃん木育ひろば」。乳幼児専用だが、手触りがよく大人にも好評。

# 東京おもちゃ美術館

1. おもちゃといって侮るなかれ。テーブルサッカーゲームは大人もついつい熱中。
2. 日本有数の木のおもちゃが揃うショップでは、からくり・郷土玩具も充実。出産祝い選びに訪れる方もたくさん。

## 大人も童心にかえる美術館

その名のとおり、おもちゃ専門の美術館。創設者の多田信作が集めたコレクションを中心に、世界中から10万点以上ものおもちゃが収蔵・展示されています。その文化や歴史の流れを学べる展示はもちろんのこと、実際におもちゃを手にとり、遊べるコーナーは年齢を問わず大盛況。とくに、大人も遠慮することなく遊べる「おもちゃのもり」は、ふんだんに木が使われ、その香りに包まれると心も軽くなります。建物は廃校となった小学校の校舎をリノベーションしたもの。内装のすみずみまで国産の木材をたくさん使い、ぬくもりがいっぱい。おもちゃの遊び方がわからない場合も、「おもちゃ学芸員」がやさしくレクチャーしてくれます。

**東京おもちゃ美術館**
とうきょうおもちゃびじゅつかん
新宿区四谷 4-20 四谷ひろば内

- ☎ 03-5367-9601
- 10:00 ～ 16:00（入館は閉館 30 分前まで）
- 休 木曜、年末年始、特別休館日
- ¥ 一般 800 円ほか
- 東京メトロ丸ノ内線四谷三丁目駅から徒歩 5 分
  都営地下鉄新宿線曙橋駅から徒歩 8 分
- https://art-play.or.jp/ttm/

※事前予約制

# 東京オペラシティ アートギャラリー

天井の高い展示室は開放感たっぷり。広々としていてのんびり鑑賞できる。
撮影(上)：木奥恵三

1 エントランス横の大きな窓から、陽の光がふりそそぐこともあり心地よい。

2 隣接するショップのギャラリー5では展覧会図録をはじめ、アートブック、グッズなど幅広く扱う。

Photo：Kenta Hasegawa

## 仕事帰りに立ち寄りたい美術館

京王新線初台駅に直結した複合施設、東京オペラシティのなかにある美術館。現代美術を中心に、建築や音楽などジャンルを越えた企画展とともに、東京オペラシティ共同事業者である寺田小太郎が収集した約4000点におよぶコレクションを順次紹介しています。寺田は、このビルに美術館の計画が持ち上がったときに、その理念に賛同し本格的な収集をはじめた人物。戦後の日本美術と東洋をテーマに作品を寄贈しています。とくに抽象画で知られる画家、難波田龍起、史男父子の作品は質量ともに充実しており必見です。

夜7時まで開館しているので、仕事帰りに立ち寄ってみてはいかがしょうか。

同ビル内には、ぜひ足を運んで欲しいパブリックアートも点在。探してみよう。

**東京オペラシティ**
**アートギャラリー**
とうきょうおぺらしてぃあーとぎゃらりー

**新宿区西新宿 3-20-2**
**東京オペラシティタワー 3 階**

- 050-5541-8600（ハローダイヤル）
- 11:00～19:00（入館は閉館 30 分前まで）
- 休 月曜（祝日の場合は翌日）、年末年始、全館休館日（2月第2日曜日、8月第1日曜日）、展示替え期間
- ¥ 展示内容により異なる
- 京王新線初台駅から徒歩 5 分
- https://www.operacity.jp/ag/

# NTTインターコミュニケーション・センター［ICC］

「ICC アニュアル 2022 生命的なものたち」展より ALTERNATIVE MACHINE《The View from Nowhere》(2022年)。撮影：木奥恵三

## メディア・アートを五感で体験

東京オペラシティ内にある、NTT東日本が運営する文化施設。いわゆる「メディア・アート」と呼ばれる作品を中心に展示しています。メディア・アートとは、コンピューターやAI、インターネットなどの多様なメディア技術を用いた芸術作品のこと。科学や技術と美術の間にある境界線を越えた作品は、つねに新しい表現や手法、そして驚きに満ちたものばかり。目だけでなく、手や耳、体を用い、五感全体でその本質を享受する点も特徴です。

年度ごとに展示作品をがらりと替える長期展示「ICCアニュアル」はもちろんのこと、ワークショップやパフォーマンスなどのイベントも多いので、最先端のアートを全身でつかみとってみましょう！

グレゴリー・バーサミアン《ジャグラー》1997年。アニメーションの原型を見て実感できる。撮影：大高隆

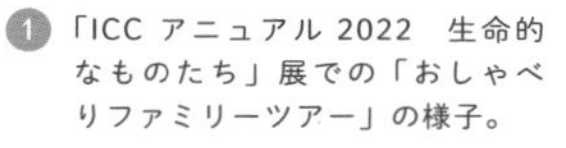

1. 「ICC アニュアル 2022　生命的なものたち」展での「おしゃべりファミリーツアー」の様子。
2. ICC キッズ・プログラム 2022「どうぐをプレイする　Tools for Play」展より、すずえり《小鳥たちのために／鳥の記譜法》(2022年)。撮影：木奥恵三

**NTTインターコミュニケーション・センター［ICC］**
えぬてぃーてぃーいんたーこみゅにけーしょんせんたー

新宿区西新宿 3-20-2 東京オペラシティタワー 4階

- 0120-144199（フリーダイヤル）
- 11:00～18:00（入館は閉館 30 分前まで）
- 休：月曜（祝日の場合は翌日）、年末年始、展示替え期間、保守点検日（8月第1日曜日、2月第2日曜日）
- ¥：展示内容により異なる
- 京王新線初台駅から徒歩2分
- https://www.ntticc.or.jp

写真提供：NTT インターコミュニケーション・センター［ICC］

small museums in Tokyo

9

# 東京23区内エリアそのほか

写真：日本民藝館（p114 ～ 116）

展示内容によって、開館時間や入館料金が異なることがあります。
お出かけ前に、各館の公式ウェブサイトなどをご確認ください。

# すみだ北斎美術館

## 鬼才・北斎の住んだ地に建つ美術館

高精細レプリカはすべて実物大。北斎の代表作を通年展示。

世界でもっとも有名な日本人のひとり、浮世絵師・葛飾北斎を中心に所蔵・展示する美術館です。北斎は90年という長い生涯の大半を墨田区で過ごしました。その北斎が、どのようにして「画狂老人」になっていったのかをていねいにたどっていく常設展示には、《冨嶽三十六景》をはじめとする代表作の実物大高精細レプリカがずらりと並び圧巻。浮世絵や肉筆画など、北斎の貴重な作品は、さまざまな切り口の企画展示で紹介されています。

晴天の日には青空が映り込む、妹島和世さん設計の先進的な建物は、建物のどこからでも入り込める設計。東京スカイツリーがしっかり見える位置に窓を配置しているところもポイントです。

手ぬぐいやがま口などオリジナルグッズも充実。

1. 北斎の生涯や作品はタッチパネルモニタで詳細に解説される。
2. 北斎のアトリエも精巧に再現。突然北斎が動き出してびっくり。
3. 妹島和世さん設計の斬新ながら機能的な建物。撮影：尾鷲陽介

**すみだ北斎美術館**
すみだほくさいびじゅつかん
墨田区亀沢 2-7-2

- ☎ 03-6658-8936
- 9:30 ～ 17:30（入館は閉館 30 分前まで）
- 休 月曜（祝日の場合は翌日）、年末年始（12月29日～1月1日）
- ¥ 一般 400 円ほか
- JR 両国駅から徒歩 9 分 都営地下鉄大江戸線両国駅から徒歩 5 分
- https://hokusai-museum.jp/

# 刀剣博物館

刀ができるまでの映像は必見。常設の情報コーナー。

## 刀剣ブームで注目される名刀に出合える博物館

日本刀は日本人の豊かな感性により、武器が美術工芸品にまで昇華されたといわれる文化財で、現在ゲームなどをきっかけに多くの人々が関心を寄せるようになりました。同館は日本刀文化の普及につとめる、日本美術刀剣保存協会が運営。1968年に代々木に開館し、2018年に現在の地、旧安田庭園の一角に移転オープンしました。館内には、重要文化財や国宝を含むさまざまな刀剣類や刀装、刀装具などが展示されています。

槇文彦（まきふみひこ）さんが設計した建物は、かつてこの地にあった両国公会堂の佇まいを継承したものです。

旧安田庭園を眺められるカフェスペースでのんびり。

① さまざまなテーマの企画展を行う、天井が高く広々とした展示室。

② ミュージアムショップで人気のオリジナル手ぬぐい。

③④ 鐔（つば）の形をしたコースターや刀の原料となる玉鋼も人気グッズ。

**刀剣博物館**
とうけんはくぶつかん
墨田区横網 1-12-9

- 03-6284-1000
- 9:30 ～ 17:00（入館は閉館 30 分前まで）
- 月曜（祝日の場合は翌日）、年末年始、展示替え期間
- 一般 1000 円ほか
- JR 両国駅から徒歩 7 分　都営地下鉄大江戸線両国駅から徒歩 5 分
- https://www.touken.or.jp/museum/

画像提供：公益財団法人日本美術刀剣保存協会／刀剣博物館

# 半蔵門ミュージアム

地下一階の展示空間の《ガンダーラ仏伝浮彫》も必見。

①エントランスは東京メトロ半蔵門駅に直結。

②シアターでは、常設展示している作品の解説映像を放映している。

## 運慶作の仏像が見られる入館料無料のギャラリー

地下鉄半蔵門駅に直結している半蔵門ミュージアムは、宗教法人真如苑の所蔵する仏教美術が展示されている文化施設です。地下の展示空間では、重要文化財にも指定されている運慶作と考えられる《大日如来坐像》や、《ガンダーラ仏伝浮彫》のある常設展示と、テーマごとに仏像や仏画、経典を展示する特集展示のふたつのエリアが展開されています。これら貴重な仏教美術を、建築家の栗生明さんが神聖な御堂をイメージして設計した荘厳な空間のなかで楽しむことができます。

また、休憩ができる2階のラウンジや、シアターがある3階は開放感にあふれています。ゆったりと過ごせる空間にも関わらず、入館無料であるところもうれしい場所です。

**半蔵門ミュージアム**
はんぞうもんみゅーじあむ
千代田区一番町 25

- 03-3263-1752
- 10:00 ～ 17:30（入館は閉館 30 分前まで）
- 休 月・火曜、年末年始、臨時休館日
- ¥ 入館料無料
- 東京メトロ半蔵門線半蔵門駅 4 番出口すぐ 東京メトロ有楽町線麹町駅から徒歩 5 分
- https://www.hanzomonmuseum.jp/

# パナソニック汐留美術館

## ルオーの常設展示室がある 世界唯一の美術館

ルオーの作品は初期から晩年までの絵画、版画などをコレクションしている（ルオー・ギャラリー）。

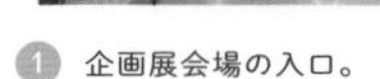

① 企画展会場の入口。

② オリジナルグッズや展覧会図録の揃うショップ。

東京・汐留にある同館は、パナソニックが社会貢献の一環として2003年に開館した美術館です。同社と関わりの深い「建築・住まい」「工芸・デザイン」をテーマにした企画展が精力的に開催されています。

また、企画展とともにぜひ見ておきたいのが、フランスの画家、ジョルジュ・ルオーの作品を常設展示している「ルオー・ギャラリー」。パナソニックが1997年よりジョルジュ・ルオー作品の収集を開始し、現在はその数260点におよびます。ルオーの名前を冠した展示室は世界でただひとつだけ。とても貴重な空間です。

**パナソニック汐留美術館**
ぱなそにっくしおどめびじゅつかん
港区東新橋 1-5-1
パナソニック東京汐留ビル 4 階

- 050-5541-8600（ハローダイヤル）
- 10:00 ～ 18:00（入館は閉館 30 分前まで）
- 休：水曜（祝日・展覧会がある場合は開館）、年末年始、展示替え期間、夏季期休業期間
- ¥：展示内容により異なる
- ＪＲ新橋駅から徒歩８分
東京メトロ銀座線新橋駅・都営地下鉄浅草線新橋駅から徒歩６分
都営地下鉄大江戸線汐留駅から徒歩５分
- https://panasonic.co.jp/ew/museum/

美術館は2023年に開館20周年を迎える。

# 長谷川町子美術館・長谷川町子記念館

長谷川町子は画家の知名度ではなく、心ひかれた作品だけを集めたという。

## 長谷川町子の世界、そして彼女の審美眼を知る

国民的まんが、アニメとして親しまれている『サザエさん』の作者、長谷川町子。町子、そして彼女をサポートした姉の毬子は、実は美術愛好家。日本画から洋画、ガラス、陶芸など多岐にわたるコレクションを姉妹で構築し、その数は約800点におよびます。これらの作品を展示するため、同館は1985年に「サザエさんの街」として知られる桜新町に創設されました。そして、長谷川町子生誕百年にあたる2020年、美術館分館として長谷川町子記念館が美術館そばにオープン。

美術館では、姉妹のコレクションを、記念館では、長谷川町子作品の貴重な原画資料などを展示しています。記念館の開館にあたり、購買部（ショップ）や喫茶部（カフェ）もオープン。購買部では原画を元にしたオリジナル商品が取り揃えられています。喫茶部のほうじ茶には、町子が大好きだったドライパパイアがお茶請けについてきます。

記念館前には、いじわるばあさんと町子とサザエさんが。

1 サザエさんパネルが出迎えてくれる記念館。町子の作品をタッチパネル式のモニターで鑑賞できる。

2 記念館の開館で、長谷川町子の作品をより詳しく鑑賞できるようになった。入り口には、町子の好きだったというしだれ桜も春に咲く。

3 レンガが重厚な長谷川町子美術館は折り紙をイメージしているのだとか。

記念館の購買部、喫茶部は老若男女に人気。昭和の時代から今も使い続けられる優れた日用品があるのも、ここならでは。

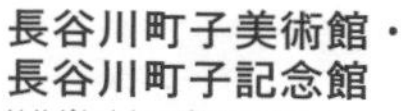

## 長谷川町子美術館・長谷川町子記念館

はせがわまちこびじゅつかん・はせがわまちこきねんかん

世田谷区桜新町 1-30-6

- 03-3701-8766
- 10:00 ～ 17:30（入館は閉館 60 分前まで）
- 月曜（祝日の場合は翌日）、年末年始、展示替え期間
- 一般 900 円ほか
- 東急田園都市線桜新町駅から徒歩 7 分
- http://www.hasegawamachiko.jp

記念すべき『サザエさん』第 1 巻の表紙も大切に保存されている。

# 日本民藝館

撮影時は陶芸家・
河井寛次郎の手掛
けた作品を紹介。
カーテン越しの光
がやさしい。

1 玄関に足を踏み入れると、ところ狭しと作品が並び、見どころがたくさん。

2 撮影時の展覧会「美しき漆　日本と朝鮮の漆工芸」（2023年4月13日〜6月18日）併設展から、日本の絣を紹介する展示。

3 同上の展覧会から陶磁器の並ぶ展示室。

4 リニューアルした大展示室。床は大谷石に、壁は静岡産の葛布となり、開館当時の広間の姿に近づいた。

## 暮らしを豊かにする「用の美」の殿堂

日常生活で用いる手仕事の品にこそ美が宿っている。この考えに基づき、柳宗悦（やなぎむねよし）を中心にはじめられたのが「民藝運動」です。市井（しせい）に出回る陶磁器や染織品、木工芸品が持つ美しさに気付き、その美を活用することで、生活をより豊かなものにつなげる、という運動の趣旨は多くの賛同者を呼び、濱田庄司（はまだしょうじ）や河井寛次郎（かわいかんじろう）、バーナード・リーチらの陶芸家や、染色家の芹沢銈介（せりざわけいすけ）も運動に参加。その流れは全国的に発展していきました。同館は、この民藝運動の創始者である柳らが開設した美術館。運動の趣旨に共感した工芸家の作品や全国各地、並びに諸外国で収集した「用の美」を持つ民芸品、約1万7000点が収蔵・展示されています。

### 展示へのこだわり

同館の解説プレートや案内書きは、他館とはちょっと違う。作品紹介から注意書きまで、専門スタッフがていねいに手書きでしたためている。写真左は、1936年竣工当時のままという戸袋の布。

# 「手仕事」を色濃く感じられる展示室自体も魅力的

柳自らが設計した本館と、かつて柳が自邸として使用していた西館から構成される同館は、重厚でありながらあたたかみのある空間。とくに大谷石が敷きつめられた玄関ホールは、和の造りにもかかわらず、洋館のような広い吹抜けで見るものを圧倒します。展示室は染織や古陶磁、朝鮮工芸など部屋ごとにテーマが設定されており、3ヵ月に1度の頻度で展示替が行われています。

そして、ミュージアムショップもまた至福の空間です。民芸の精神に沿った工芸品が全国各地から集められ、実際に購入できます。生活が豊かになる自分だけの逸品をきっと見つけられることでしょう。

展覧会開催中の第2、第3の水曜、土曜に公開される西館。

1. 選ぶ時間も楽しいショップ。食器や文具、布製品……日常使いのできるアイテムが豊富。
2. 湯呑みやお碗、皿や小鉢など日本各地の工芸品が揃う。
3. マフラーやコースターなど、ずっと使い続けたいアイテムが並ぶ。

**日本民藝館**
にほんみんげいかん
**目黒区駒場 4-3-33**

- 03-3467-4527
- 10:00 ～ 17:00（入館は閉館 30 分前まで）
- 休 月曜（祝日の場合は翌日）、年末年始、展示替え期間
- ¥ 一般 1200 円ほか
- 京王井の頭線駒場東大前駅から徒歩 7 分
- https://www.mingeikan.or.jp

# 三井記念美術館

上品な雰囲気の館内は足を踏み入れただけで特別な気持ちになれる。日本や東洋の伝統文化に親しめるようワークショップも開催。

1 駅直結の日本橋三井タワーが入口。最新ビルと歴史ある建物の双方を堪能できる。

2 ゆったりしたスペースにリニューアルしたミュージアムショップ。

## 三井家の至宝をゆかりの地、日本橋で鑑賞

再開発により近年注目が集まる日本橋エリア。この地で創業し、以来３００年以上の歴史を持つ三井家の約４０００点の美術工芸品、約13万点の切手などを保存・展示している美術館です。とくに茶道具は国宝《志野茶碗 銘卯花墻》など優れた品が多く、コレクションの核となっています。同館のある三井本館は、国の重要文化財にも指定されている１９２９年竣工の建物。展示室など当時のままの内装も多くあり、重厚な雰囲気。展示室内には三井家が過去に所有し、現在は国宝となっている織田有楽斎作の茶室「如庵」も再現。季節に合わせた茶道具の展示も行われています。

収蔵品をモチーフにしたオリジナルグッズの手ぬぐいが人気。

**三井記念美術館**
みついきねんびじゅつかん

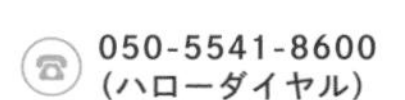

中央区日本橋室町 2-1-1
三井本館 7 階

050-5541-8600
(ハローダイヤル)

10:00 ～ 17:00
(入館は閉館 30 分前まで)

休 月曜、臨時休館日

一般 1000 円 (館蔵品展)、1500 円 (特別展) ほか

東京メトロ銀座線三越前駅から徒歩 1 分
JR 新日本橋駅から徒歩 4 分

https://www.mitsui-museum.jp

JR総武本線
新日本橋駅
日本橋
三井タワー
東京メトロ
銀座線
COREDO
室町
三越
東京メトロ
半蔵門線
三越前駅

# アクセサリーミュージアム

開館は2010年。ヴィクトリア時代から現代までのコスチュームジュエリー史を楽しめる。

## アクセサリーでたどるファッションの歴史

コスチュームジュエリーとは、豪華な宝石を使わないアクセサリーのこと。技術革新が進み、宝石に比べてリーズナブルなガラスや樹脂などの素材がとり入れられるようになると、アクセサリーのデザインは飛躍的に進化。バラエティに富んだものになりました。

同館は、このコスチュームジュエリーとファッションに特化した私立美術館。長年アクセサリーデザイナーとして活躍した田中元子さんが世界中から集めたコレクションが年代順に展示されています。とくにシャネルやルネ・ラリックが活躍したアール・デコ期のコレクションは今見ても斬新に感じるはず。さらに、価値観が多様化した戦後に花開いたヒッピースタイルや、ストリート系などのポップで斬新なものまで網羅されており、デザインと様式の進化をしっかりとたどれます。

ショップでスタッフにイメージを伝えれば、その場でオーダーメイドのアクセサリーをつくってもらえるのも魅力のひとつ。

アクセサリーのほか、アール・デコ期のリトグラフやカトラリー、ガラス器なども展示。

1 ショップでは、時代の息吹を感じるヴィンテージものから最新のトレンドをおさえたアクセサリーまで揃う。書籍や雑貨も。

2 淡いピンク色がかわいい花のネックレス。ショップで購入できる。

3 ヴィンテージアクセサリーのブローチ（展示品）。プラスティックでつくられたとは思えない、やさしさが光る。

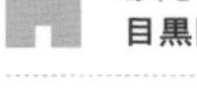

## アクセサリーミュージアム

あくせさりーみゅーじあむ

**目黒区上目黒 4-33-12**

- ☎ 03-3760-7411
- 10:00 ～ 17:00（入館は閉館 30 分前まで）
- 休 日、月曜（第 4・5）、展示替え期間、夏期・冬期整備期間（詳細は HP で確認を）
- ¥ 一般 1000 円ほか
- 東急東横線祐天寺駅から徒歩 7 分
- http://acce-museum.main.jp

こだわりポイント

### アクセサリーのすべてを

常設展示室には、5 万点以上のコレクションのなかから厳選された作品が並ぶ。企画展では技術や文化など、テーマを設けている。また、アクセサリー教室、専門家のアクセサリー修理相談なども開催している。

各時代を彩ったアクセサリーの数々。懐かしいものや憧れのものなど、眺めているといろいろな思い出がよみがえってきそう。

# 世田谷美術館分館
# 清川泰次記念ギャラリー

床には絵の具の跡が！ つい先ほどまで作家自身が絵を描いていたかのような錯覚をおこす。

## 床に残る絵の具の跡から作家を想う

芸術家の清川泰次が生前使用していた住居兼アトリエを一部改装したギャラリーです。清川は独自の抽象表現を生み出しながら、立体作品、写真やデザインまで幅広いジャンルで活躍した画家。ギャラリーでは、いろいろな切り口で、彼の作品を年2回のペースで紹介し、区民ギャラリーも併設しています。白い壁が映える館内は、高さ5mにもおよぶ大きな吹き抜けがつくられ、高窓から自然光が注ぐさわやかな空間です。清川は食器など生活領域に関するデザイン活動を行っていたことでも知られています。ショップでは彼のデザインしたグッズや食器を購入できます。

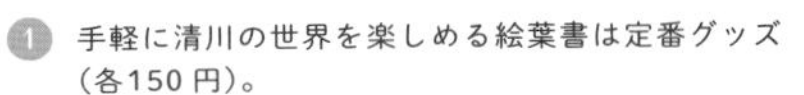

1. 手軽に清川の世界を楽しめる絵葉書は定番グッズ（各150円）。
2. オリジナルデザインのハンカチは20種類ほど。特徴的な線の動きが描かれている（各1,120円）。
3. ペンダントは緑、水色、茶、トルコ、黒、紺と豊富な色が自慢（各5,030円）。

※商品価格は今後改訂の可能性あり。

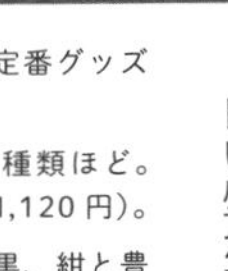

**世田谷美術館分館**
**清川泰次記念ギャラリー**
せたがやびじゅつかんぶんかん
きよかわたいじきねんぎゃらりー
**世田谷区成城 2-22-17**

- 03-3416-1202
- 10:00～18:00（入館は閉館30分前まで）
- 休：月曜（祝日の場合は翌平日）、年末年始、展示替え期間
- 一般200円ほか
- 小田急小田原線成城学園前駅から徒歩3分
- http://www.kiyokawataiji-annex.jp

水平の屋根からつながる直線の庇が大きく出ているモダンな建築。
（撮影：宮本和義）

# 世田谷美術館分館
# 宮本三郎記念美術館

さまざまに作風を変化させていった宮本の作品を一望に鑑賞できる。

## 華やぐヴィーナスを描いた画家の世界へ

自由が丘の閑静な住宅街にある同館。洋画家の安井曾太郎に師事した宮本三郎は、花や裸婦を色彩豊かに描いた油彩画や、女優や歌手の肖像画、そして新聞小説の挿絵などで知られた画家。その画風は時代や社会の変化と共に変化を遂げ、そのどれもが見る人を魅了します。

美術館は彼が暮らしていた旧居兼アトリエ跡地に創設されたもの。油彩や水彩など、約400点の作品群や蔵書、資料をもとに、彼の活動に多方面から光を当てた展覧会をはじめ、ワークショップやコンサートなども開催されています。

1 ワークショップやコンサートなども不定期に行われている。

2 絵具の跡が残るイーゼルと、宮本三郎の頭像（佐藤忠良作）がお出迎え。撮影：上野則宏

**世田谷美術館分館**
**宮本三郎記念美術館**
せたがやびじゅつかんぶんかん
みやもとさぶろうきねんびじゅつかん

世田谷区奥沢 5-38-13

☎ 03-5483-3836

10:00～18:00（入館は閉館30分前まで）

休 月曜（祝日の場合は翌日）、年末年始、展示替え期間

¥ 一般 200 円ほか

東急大井町線・東横線
自由が丘駅から徒歩 7 分
東急目黒線奥沢駅・東急大井町線
九品仏駅から徒歩 8 分

http://www.miyamotosaburo-annex.jp

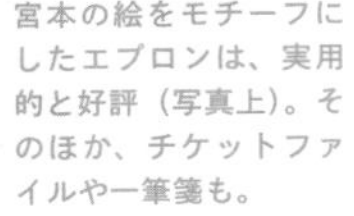

宮本の絵をモチーフにしたエプロンは、実用的と好評（写真上）。そのほか、チケットファイルや一筆箋も。

# 世田谷美術館分館 向井潤吉アトリエ館

館内では、向井が描いたさまざまな地方の民家を見ることができる。写真は土蔵展示室。
© 上野則宏

① 1962年に建設された住居兼アトリエ。
© 宮本和義

② 向井愛用のパレットも館内で展示。作家の息遣いを感じられる。
© 上野則宏

## 叙情にあふれた民家を描いた画家の住まい

どことなくのどかなムードが残る世田谷区弦巻（つるまき）。この地に暮らし、戦後の復興のなかで、少しずつ周囲から消えていく民家とその風景を記録し続けてきた洋画家が向井潤吉です。彼は93歳で亡くなるまで、日本全国の里山を訪ね歩き、作品に残しました。それらは人々の郷愁を誘うものばかり。建物は住居兼アトリエを改装したもの。木造建築の名手として知られた建築家、佐藤秀三が設計した大屋根の家と、岩手県の一関から移築された土蔵の2棟から構成され、約800点以上の油彩画やデッサンから年2回の企画に合わせて展示しています。

**世田谷美術館分館**
**向井潤吉アトリエ館**
せたがやびじゅつかんぶんかん
むかいじゅんきちあとりえかん
**世田谷区弦巻 2-5-1**

☎ 03-5450-9581
10:00 ～ 18:00
(入館は閉館 30 分前まで)
休 月曜（祝日の場合は翌日）、年末年始、展示替え期間
¥ 一般 200 円ほか
東急田園都市線駒沢大学駅から徒歩 10 分
http://www.mukaijunkichi-annex.jp

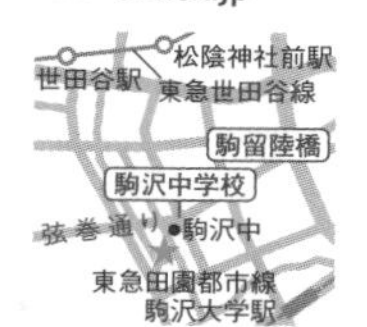


おすすめグッズはＡ４クリアファイル（写真下）と向井潤吉作品集。ほかにも一筆箋、チケットファイル、レターセットなどがある。

# 松本かつぢ資料館

昭和9(1934)年に発表された『?(なぞ)のクローバー』の表紙。男装の麗人が主人公のまんが。

## 〝カワイイ〟ものばかりのキュートな空間

35年もの長期連載となったまんが『くるくるクルミちゃん』や、少女雑誌や絵本の挿絵などで戦前から人気を集めた画家、松本かつぢ。繊細でエキゾティックな美少女画から、ポップでユーモラスなイラスト、戦後にはベビー用品のキャラクター開発なども手掛け、マルチに活躍。「カワイイ」の概念の元祖になったともいわれています。かつてのアトリエの地にあるこの資料館では、彼の直筆イラスト、愛用の品などを見ることができます。うれしいのは作品との近さ。色鮮やかな原画や、きれいにファイリングされたスケッチを、極限まで近づいて見ることが可能です。

1 かつぢは、上田トシコや田村セツコなど現在も人気の作家の師匠としても知られている。

2 ノートや絵葉書、スタンプ、シール……グッズは、どれも乙女心をくすぐる。

きせかえ人形のセット。可憐な少女の頃を思い出すよう。

**松本かつぢ資料館**
まつもとかつぢしりょうかん
世田谷区玉川 4-14-18

- 03-3707-3503
- 12:00 ~ 17:00 (入館は閉館の 30 分前まで)
- 休 金・土曜のみ開館 (毎月第 4 金曜は休館)
- ¥ 一般 300 円ほか
- 東急田園都市線二子玉川駅から徒歩 10 分
- http://katsudi.com

川端龍子の得意とする大胆で大規模な作品が並ぶ。日本画の画材の解説も見もの。

# 大田区立龍子記念館

## 日本画の概念をくつがえすダイナミックな日本画家

洋画を学びにアメリカへ飛び、ボストン美術館で見た「平治物語絵巻」に感動して日本画に転向したという、異色の経歴を持つ日本画家、川端龍子（かわばたりゅうし）。彼の作品はとにかくダイナミックなことが特徴。従来の床の間に飾ってあるような日本画ではなく、「会場芸術としての日本画」を主張し、荒々しいタッチの大作を描き続けました。同館は、自身が喜寿の記念に自邸の向かいに設計、設立したもの。高床式の建物は、雅号にちなみ、上から見るとタツノオトシゴの形をしています。約140点の収蔵作品を中心に年3回の展覧会を開催しています。

隣接する龍子公園は、彼のアトリエと旧居、そして庭園が残る区立公園です。1日3回スタッフの案内付きで、アトリエや旧居を見学できます。庭園内の「爆弾散華の池」は、終戦間際の空襲で壊滅した母屋部分を、龍子が池として造成したものです。

1. 空襲をうけてできた「爆弾散華の池」から、名作《爆弾散華》が生まれた。
2. アトリエや旧宅。扉の意匠や石畳など龍子のこだわりが随所に残されている。

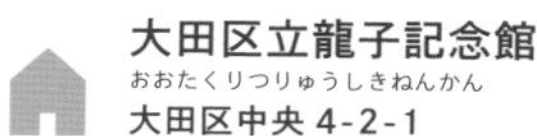

**大田区立龍子記念館**
おおたくりつりゅうしきねんかん
**大田区中央 4-2-1**

- 050-5541-8600（ハローダイヤル）
- 9:00 ～ 16:30（入館は閉館 30 分前まで）
- 月曜（祝日の場合は翌日）、年末年始、展示替え期間
- 一般 200 円ほか ※企画展開催中は特別料金
- JR 大森駅から東急バス 臼田坂下バス停下車徒歩 2 分
- http://www.ota-bunka.or.jp/facilities/ryushi/

美術館

展示室は落ち着いた雰囲気で、ゆったりと鑑賞できる。

1 庭園は国分寺から続く崖線の起伏が巧みにとり入れられている。紅葉が見頃を迎えるのは11月下旬。

2 優美な国宝を所蔵する美術館にふさわしい構え。

## 上野毛の地で楽しむ日本古来からの優美

東急グループの礎を創り上げた五島慶太(ごとうけいた)。翁が収集したコレクションを中心に、日本と東洋の古美術品約5000点を保存・展示しているのが同館。収蔵品を代表する国宝の《源氏物語絵巻》は春に、《紫式部日記絵巻》は秋に、数々の名品と共に展示されるほか、さまざまなテーマでの展覧会が行われています。近代の建築家として著名な吉田五十八(いそや)が、平安時代の寝殿造の意匠をとり入れ、優雅な建物(本館)を設計しました。武蔵野の斜面に広がる庭園は、面影を残していて散策にぴったり。収蔵品の茶道具をあしらった手ぬぐいなど、オリジナルグッズも豊富です。

### 五島美術館
ごとうびじゅつかん

世田谷区上野毛 3-9-25

- ☎ 050-5541-8600(ハローダイヤル)
- 10:00 ~ 17:00(入館は閉館 30 分前まで)
- 休 月曜(祝日の場合は翌平日)、年末年始、夏期整備期間、展示替え期間
- ¥ 一般 1100 円ほか(特別展は別途料金)
- 東急大井町線上野毛駅から徒歩 5 分
- https://www.gotoh-museum.or.jp/

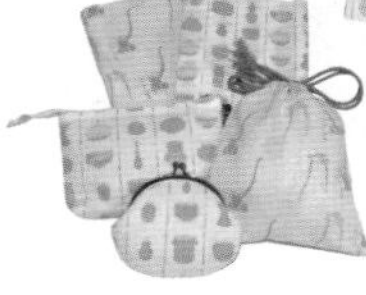

手ぬぐいやガマロ、ポーチなど。大人の女性への贈り物にもぴったり。

# ミュゼ浜口陽三・ヤマサコレクション

地下展示室へ続くらせん階段も素敵。初心者向けの銅版画体験教室は年に数回開催されている。

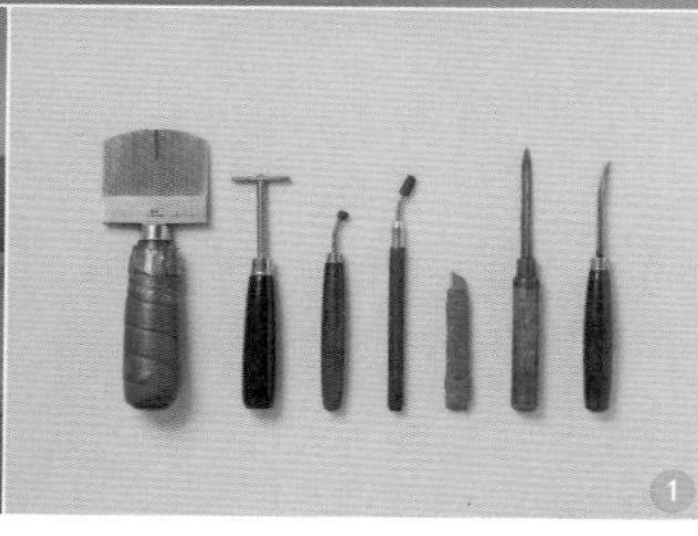

1 作品展示のほかに、作家の使った道具も展示されている。

2 浜口夫人である南桂子の展示も。「南桂子展 ノスタルジア」展示風景（2014 年開催）。

## 銅版画ならではの繊細な美しさ

銅の板を刻み、そのくぼみにインクを詰めることで黒と白の微妙な階調をつくりだす版画技法「メゾチント」。この技法を多色刷りまで発展させた版画家が浜口陽三。静謐で繊細な作品は、独特の存在感を放っています。同館は、彼の作品や実際に使用した道具や銅版などを収蔵・展示し、年に1・2回の企画展を開催しています。建物はヤマサ醤油の倉庫を改装して建てられたもの。入口から展示スペースを区切るゆるやかなスロープなどがその名残です。

オリジナルグッズの一筆箋（写真上）とトートバッグ。ほかにも書籍やレターセットなどを扱う。

**ミュゼ浜口陽三・ヤマサコレクション**
みゅぜはまぐちようぞう・やまさこれくしょん
**中央区日本橋蛎殻町 1-35-7**

☎ 03-3665-0251

11:00 ～（土・日曜、祝日 10:00 ～）
17:00（第 1・3 金曜～ 20:00）
（入館は閉館 30 分前まで）

休 月曜（祝日の場合は翌日）、年末年始、夏季休暇、展示替え期間

¥ 一般 600 円ほか

東京メトロ半蔵門線
水天宮前駅から徒歩 1 分

http://www.yamasa.com/musee/

# ちいさな硝子の本の博物館

ガラス作品のほか、国内外から集められたガラスにまつわる書籍がところ狭しと並ぶ。

## ガラスの本だけをじっくり読めるスポット

ガラスメーカーが多く「すみだガラス市」も開催されている墨田区。この地で手づくりガラスの魅力を伝えたいという願いから、「うすはりグラス」などで知られる松徳硝子（しょうとくがらす）㈱が博物館をつくりました。世界中から集められたガラスの専門書籍や資料、約800冊を、椅子に座ってじっくりと読むことができます。ルネ・ラリックやティファニー、ヴェネツィアや北欧産などたくさんのガラスを眺めていると、デザインする人や国、用途によってデザインや質感が異なってくるのがわかります。店内で販売している職人手づくりのグラスなどに、ペン型の機械で好きな模様を彫れるガラス彫り体験も開催（予約制）。

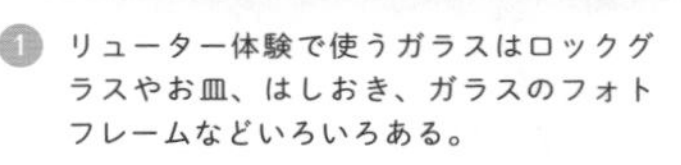

① リューター体験で使うガラスはロックグラスやお皿、はしおき、ガラスのフォトフレームなどいろいろある。

② 墨田区の職人が手づくりしたガラスなので、贈り物にも最適。

**ちいさな硝子の本の博物館**
ちいさながらすのほんのはくぶつかん
**墨田区吾妻橋 1-19-8 矢崎ビル 1 階**

- 03-6240-4065
- 10:00 ～ 19:00（火曜、祝日 11:00 ～ 18:00）
- 月曜（祝日の場合は翌日）、ほかに不定休あり
- 入館料無料
- 都営地下鉄浅草線本所吾妻橋駅から徒歩 3 分
  東武伊勢崎線とうきょうスカイツリー駅から徒歩 6 分
- https://chiisanaglass.jp/

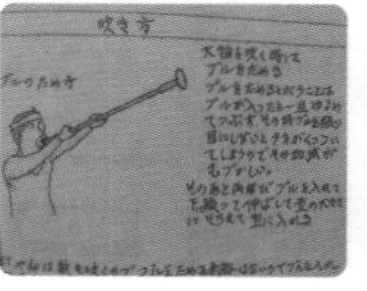


かつて工場に勤めていた職人さんが手描きでガラス製造を解説したノート。ここでしか見られない。

# 田河水泡・のらくろ館

仕事で愛用していた文具や書籍など作家を偲ばせるグッズが盛りだくさんな書斎。

## 戦前から人気の元祖まんがキャラ、のらくろを知る！

まんが家、田河水泡が描いた『のらくろ』は、1931年から80年まで続いた日本のキャラクターまんがの元祖ともいわれる物語。おちゃめな性格ながら、軍隊で出世していく愛らしい犬、のらくろはたちまち人気に。のらくろの魅力を、遺族から寄贈を受けた資料とともに紹介しています。幼年期から青年期までを江東区で過ごした田河は、まんが家のほか、落語作家やエッセイストなど多方面で活躍した人。長谷川町子など多数のまんが家を育成したことでも知られています。同館には、愛用の机と椅子などが置かれた再現アトリエや、当時の深川の写真なども展示。また、向かいには約1万冊のまんがが読み放題の「のらくろ広場」もあります。

1 入口前には巨大な、のらくろのぬいぐるみ。一緒に記念撮影もできる。

2 館内には田河の弟子・のらくろトリオの作品も展示。

**田河水泡・のらくろ館**
たがわすいほう・のらくろかん
江東区森下 3-12-17
森下文化センター内

03-5600-8666

9:00 ～ 21:00

休 第1・3月曜（祝日の場合は開館）、年末年始

¥ 入館料無料

東京メトロ半蔵門線・都営地下鉄大江戸線清澄白河駅から徒歩8分
都営地下鉄新宿線・大江戸線森下駅から徒歩8分

https://www.kcf.or.jp/morishita/josetsu/norakuro/

絵葉書は同館で購入可。商店街にもたくさんのグッズがあり、地域で愛されている。

# 江東区深川江戸資料館

江戸の1日を体験できるよう、展示室の照明は15分間隔で朝から夕方まで変化するというから驚き！

1. 江戸っ子のソウルフード、稲荷寿司や天ぷら、そば……。どう売られていたか、知っている？
2. 住民の家族構成や職業、年齢までを細かく設定し、それぞれの暮らしぶりにあった生活用品を展示している。
3. 八百屋の野菜は季節に合わせて内容を変えているそう。

## 江戸の町へタイムスリップ

ギャラリーが増え活気の増す深川は江戸情緒の残る町。その歴史や風俗を体験しながら学べる施設です。展示室のなかに映画のセットのように再現されているのは、天保年間の深川佐賀町の町並み。江戸庶民の長屋や商店、屋台がひしめく空間を自由に歩きまわると、まるでその時代にいるかのよう。八百屋に並ぶ江戸野菜など、細部まで気を配った展示は圧巻で、撮影も自由。また、深川とゆかりが深い昭和の大横綱、大鵬（たいほう）の顕彰コーナーも開設され、化粧回しや太刀などが展示されています。

グッズも充実。写真右下から時計回りに起こし文はがき、切絵図ハンカチ、同館のマスコットキャラクター猫の実助（まめすけ）を描いたマグネットとマスコット。

**江東区深川江戸資料館**
こうとうくふかがわえどしりょうかん
江東区白河 1-3-28

- ☎ 03-3630-8625
- 9:30 ～ 17:00（入館は閉館30分前まで）
- 休 第2・4月曜（祝日の場合は翌日）、年末年始、展示替え期間
- ¥ 一般400円ほか
- 東京メトロ半蔵門線・都営地下鉄大江戸線清澄白河駅から徒歩3分
- https://www.kcf.or.jp/fukagawa/

※中学生以下の方は保護者同伴

# 関口美術館

自由にくつろげる中庭。緑の合い間にブロンズなどの彫刻が見え隠れしている。

① 柳原義達は鴉をモチーフにした作品が多い。

② 東館は本館から徒歩3分のところにある。企画展など創意にあふれた展示を行う。

## 建築家が惚れた鴉（からす）の彫刻

建築設計事務所を経営する建築家で館主の関口雄三さんが自ら設計した同館は、マンションの一階にあります。本館は鴉や鳩、裸婦などの作品で知られる彫刻家の柳原義達（やなぎはらよしたつ）のブロンズ彫刻のほか、ドローイングや版画が展示されています。大きくとられた窓からやさしい陽光がふり注ぎ、自然光の下で心地よく作品を鑑賞できます。庭は緑にあふれているので、椅子に腰かけてお茶を飲みながら、のんびりしましょう。少し離れた東館も関口さんの設計。漆喰や大谷石、竹など自然素材が積極的に用いられて、企画展を中心に貸ギャラリーとしても利用可能です（要相談）。住宅地のなかにある、ほっとできる場所です。

本館は建築設計事務所の隣にある。

**関口美術館**
せきぐちびじゅつかん
**江戸川区中葛西 6-7-12**
**アルトジャルダン 1 階**

- ☎ 03-3869-1992
- 11:00 ～ 16:30（入館は閉館 30 分前まで）
- 休 月曜祝日、年末年始、ゴールデンウィーク、夏季休業
- ¥ 一般 500 円ほか（企画により変わることもあり）
- 東京メトロ東西線葛西駅から徒歩 10 分
- http://www.bbcc.co.jp/museum/

館内には、仏像や陶磁器とじっくり向き合える落ち着いた空間が広がっている。

# 石洞美術館

## 世界各地のめずらしい陶磁器を鑑賞

千住大橋近くにある、銅板葺きおろしの屋根と六角形の形が印象的な建物。ここは実業家の佐藤千壽(せんじゅ)のコレクションを中心に展示する美術館です。同館の名称は佐藤の雅号、石洞にちなんで名付けられたもの。収蔵品は中国の古染付や、スペインで焼造されたラスター彩陶器であるイスパノ・モレスクなど、世界各地の陶磁器が充実していることが特徴です。また、日本では濱田庄司や、その弟子の島岡達三などの現代陶芸の作品も多く収集されています。展示室はグレーを基調にした落ち着きある空間。ゆるやかなスロープをゆっくりと歩きながら作品を鑑賞できます。ガラス張りの明るい茶館「妙好」では、水・金曜日に手づくりパンも用意されています。

1. スロープの途中にも作品が置かれ、ゆっくり上りながら鑑賞できる。
2. 美術館入口と、右手に見えるのが茶館「妙好」。足立区の福祉団体が運営しているやさしい味のお店。

周囲には桜、大賀蓮、百日紅など四季折々の花も咲く。

**石洞美術館**
せきどうびじゅつかん
**足立区千住橋戸町 23**

- ☎ 03-3888-7520
- 10:00 ～ 17:00（入館は閉館 30 分前まで）
- 休 月曜（祝日の場合は翌日）、年末年始、展示替え期間
- ¥ 一般 500 円ほか
- 京成本線千住大橋駅から徒歩 3 分
- https://sekido-museum.jp

# 空蓮房

アーティストと対話を重ねて空間を構成する展覧会は準備に２～３年かかることも。

① 左手に見えるちいさな入口で、賽銭制という形の入館料を納めてなかへ入る。

② 企画展は春と秋の２回のみ。写真は2009年に関連イベントとして開催された聲明（しょうみょう）の様子。

## 寺院内にあるギャラリーは瞑想の空間

浄土宗長応院の境内にある同館は、年に2回のペースで企画展を行う一風変わったギャラリー。事前のメール予約が必須で、入館は1時間に1名のみというスタイル。腰をかがめて入口をくぐり、玉砂利を敷き詰めた通路を抜けて入る展示室は、床から天井まで真っ白に塗られ、ちいさな天窓からほのかに自然光が差し込む厳かな空間です。訪問者は展示作品と自由な形で対峙します。作品を見て、想い、そして自分自身にひきつけて考える時間は、仏教の「瞑想」に近いものかもしれません。芸術と仏教、そして自分自身それぞれに対して新しい発見が得られるかけがえのない場所です。

ギャラリー入口。ふたりで行く場合は、時間を分けあいひとりずつ入る。

**空蓮房**
くうれんぼう
**台東区蔵前 4-17-14 長応院内**

kurenboh@nifty.com

10:00 ～ 16：00
(最終の入館予約は 15：00)

休 月・火・土・日曜
春と秋２回の企画展開催中のみオープン

¥ 賽銭制

都営地下鉄浅草線・大江戸線蔵前駅
から徒歩５分

http://www.kurenboh.com

※観覧は予約制で観賞は１人ずつ１時間のみ。
※常設展示はなし。展示情報はＨＰからご確認を。

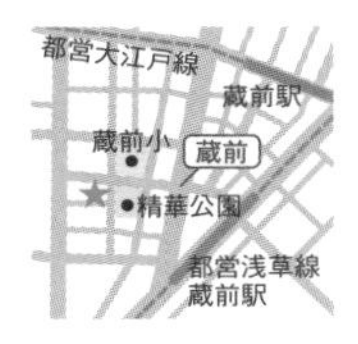

# 天王洲アートめぐり

近年、アートスポットとして注目されている天王洲（東京都品川区）は、美術館やギャラリーはもちろん、パブリックアートも密集したエリアです。

このエリアには、パブリックアートが多数ある。雑誌やダンボールなどを巨大な陶器で緻密に制作することで知られる三島喜美代《Work 2012》は、ホテルの「東横INN品川港南口天王洲アイル」前に。
© Mishima Kimiyo

## 1 WHAT MUSEUM
### 倉庫で最先端アートをのぞき見

寺田倉庫が運営する現代アートのコレクターズミュージアム。作家やコレクターから預かった美術作品を公開する、という倉庫会社ならではの斬新な展示方法が注目を集めています。絵画作品や立体作品から、インスタレーションや写真、映像など展示する作品ジャンルはさまざま。現代美術の「いま」を感じられる空間です。

天王洲にて幅広くアート事業も展開する寺田倉庫は、天王洲の地域ブランディングにも貢献している。

館内には、建築模型などを展示する建築倉庫も併設。ふたつの美術館を楽しめる。

倉庫をリノベーションした天井の高い建物。2016年、4つのギャラリーからスタートした。シンプルな構造だからこそ、ギャラリーや作家の個性がひときわ際立つ。1階にはカフェも。

## 2 TERRADA ART COMPLEX

### 多彩なアートがぎゅっと凝縮

アートコンプレックスとは、複数のギャラリーやアトリエなどの芸術施設がひとつに集まった芸術文化の発信地のこと。同施設には日本を代表するアートギャラリーが多数集積し、その規模は国内最大級。現在は約20のギャラリーが入居しており、上から下までビルを回遊するだけで、いくつもの展覧会をハシゴすることができます。

## 3 WHAT CAFE

### お気に入りアートを探せるカフェ

気に入った作品は購入することもできるギャラリーカフェ。800平方メートルもある広々とした空間には、主に若手作家の作品が展示されています。カフェでは、本格的なフードメニューが季節ごとに提供されており、デザートやアルコールも楽しめます。

カフェは白と明るい木材を基調としたインテリアで、ほっと寛げる空間。ギャラリースペースは基本的に入場無料なので、気軽に自分だけの一点を探すことができる。会期ごとに全作品入れ替わるので、いつ来ても新鮮。

**WHAT MUSEUM**
ワットミュージアム
品川区東品川 2-6-10 寺田倉庫 G 号

11：00 ～ 18：00（入場は60分前まで）
休 月曜（祝日の場合、翌火曜）
¥ 一般 1500 円ほか（WHAT MUSEUM と建築倉庫のセット券は一般 2000 円ほか）
https://what.warehouseofart.org/

**TERRADA ART COMPLEX**
テラダアートコンプレックス
〈TERRADA ART COMPLEX Ⅰ〉
品川区東品川 1-33-10
〈TERRADA ART COMPLEX Ⅱ〉
品川区東品川 1-32-8

11：00 ～ 18：00（金曜 ～20：00）
休 日・月曜・祝日
¥ 入場無料
※上記は TAC GALLERY SPACE の営業時間。カフェなどは営業時間が異なる。また、ギャラリーによって異なる場合があるので、各公式サイトを要確認
https://terrada-art-complex.com/ja

**WHAT CAFE**
ワットカフェ
品川区東品川 2-1-11

11：00 ～ 18：00
（展覧会の最終日は 17:00 閉館）
休 不定休
¥ 入場無料
https://cafe.warehouseofart.org/

東京臨海高速鉄道りんかい線天王洲アイル駅から施設により徒歩４～８分
東京モノレール羽田空港線天王洲アイル駅から施設により徒歩５～11分

small museums in Tokyo

10

# 東京23区外エリア

写真：旧白洲邸 武相荘（p139 ～ 141）

展示内容によって、開館時間や入館料金が異なることがあります。
お出かけ前に、各館の公式ウェブサイトなどをご確認ください。

# 三鷹天命反転住宅

イン メモリー オブ ヘレン・ケラー

建物の内側も外側も色彩だらけ。視界のなかに、6色以上の色が必ず目に入るように設計されている。

1. 和室は円形の畳。畳の周りには玉砂利が敷き詰められていて、思わず瞑想したくなる。
2. 天井に取り付けられた無数のフックに荷物やハンモックなどいろいろ吊るせる。
3. 唐突に現れたはしごは本棚にも使えそう。運動不足解消に上り下りするのも自由。

## 芸術家と詩人がつくり上げた「死なないための住宅」

三鷹市郊外を走る東八道路沿いに突然あらわれるカラフルな建築物。これは、芸術家で建築家の荒川修作と詩人のマドリン・ギンスがつくり上げた「死なないための住宅」です。「天命反転」とはふたりが追求し続けた芸術のテーマ。普段は眠っている本能や五感をもう一度目覚めさせることで、人間に授けられた「死」という天命を覆す、つまり反転させるという意味です。この場所でしばらく過ごすと、自分の知覚や感覚が、身体と環境の関係の変化によってたやすく変わってしまうことに気付かされます。

### 建物のこだわり

傾斜ばかりで、平らなところもほとんどない床。すると、足元に注意を払って歩くようになる。これも荒川＋ギンスの狙い。

1 ヘレン・ケラーが住むとしたらどんな部屋になるか？ というのも設計テーマのひとつ。

2 共有スペースの階段や壁、エレベーターすべてが着色されている。

3 共用部分も上下左右すべて色の洪水。色校正だけで６回行われたという。

## ヴィヴィッドな色と力強い造形

壁から床まで14の色彩で塗り分けられた室内は、傾斜のある床や天井、球体の部屋など、足を踏み入れた当初はとまどうばかり。けれども、体と心が慣れてくると、この空間でどのように暮らそうかと考えるようになってきます。すると、今まで見えてこなかった天井のフックや、引き出しなどの収納が見えてくるから不思議です。従来にない新しい気持ちや感覚が、この空間にいることで芽生えてきそう。定期的に申込制の「たてもの見学会」が開催されるほか、宿泊プランも用意されています。公式サイトでスケジュールを確認しましょう。

色も形も異なる集合住宅は全部で９戸。世界中から見学客が訪れている。

### 三鷹天命反転住宅 イン メモリー オブ ヘレン・ケラー

みたかてんめいはんてんじゅうたく いん めもりー おぶ へれん・けらー

三鷹市大沢 2-2-8

0422-26-4966

見学会・イベントごとに異なる※通常非公開。見学会は HP で確認を。

一般 2800 円ほか

JR 武蔵境駅から小田急バス 大沢バス停下車徒歩 3 分

https://www.rdloftsmitaka.com/

# 旧白洲邸 武相荘

白洲正子と白洲次郎の暮らしをそのままに感じられる書斎や応接室。

1. 客人たちとの食事をした囲炉裏のある和室。正子愛用の骨董がずらりと並ぶ。
2. ツイードジャケットやハンチング帽など、上質を追求した次郎の愛用品も展示。洋服だけではなく、ふたりの着物なども展示されている。
3. やさしい自然光で見る骨董品の数々。展示品は季節ごとに入れ替えを行っている

## 白洲正子・次郎夫妻の美意識が今も息づく場所

小田急線鶴川駅から徒歩15分の場所にある「旧白洲邸 武相荘」は、随筆家の白洲正子と、第二次世界大戦後の日本復興に大きく貢献した実業家・白洲次郎夫妻がこよなく愛した住まい。もとは100年以上前に建てられた茅葺きの農家で、ふたりは自分たちの生活にあうように手を入れながら暮らしていました。そんなふたりの人生観、審美眼を語り継ぐ場として、2001年にミュージアムとして一般公開されました。四季折々の年4回の企画展を開催。緑豊かな庭や散策路も楽しむことができます。

### 展示のこだわり

正子と次郎の写真や、次郎ゆかりの史料なども展示されている。当時のことをうかがい知れる貴重な資料。

# 食べて、使って、着て堪能する 飾り気のない、白洲家の美学

白洲家ゆかりのメニューをいただけるレストランでも、ふたりの美学を感じることができます。人気メニューのカレーには、キャベツの千切りが添えられています。これは、娘が野菜嫌いの次郎に野菜を食べてもらうために考案したスタイルなのだそう。ショップには、正子や白洲家とゆかりのある作家のガラスや陶芸の作品、手軽な骨董の器などが並びます。また、若かりし頃の正子と次郎の写真を使ったTシャツなども人気。日々の暮らしが豊かになる品々が揃います。毎日の過ごし方をあらためて考えさせてくれる場所です。

休憩所にあるクラシックカー PAIGE は、次郎が乗った最初の車 PAIGE と同型車。

1. 旧白洲邸別棟を改装したレストラン。店内奥は正子が晩年書斎として使用。
2. どちらを着るか迷う正子＆次郎Tシャツ。人気セレクトショップ BEAMS とのコラボ。
3. 正子の兄がシンガポールの友人宅でつくり方を教わってきたチキンカレー(1,700円)。
4. 普段使いしやすい、作家ものの器や皿、生活雑貨などもショップで取り扱う。

## 旧白洲邸 武相荘

きゅうしらすてい ぶあいそう

**町田市能ヶ谷 7-3-2**

**042-735-5732**

**10:00～17:00（入館は閉館30分前まで）**

**休 月曜（祝日の場合は開館）、夏季・冬季休館**

**¥ 1100円（小学生以下の入場はできない、乳児は除く）**

**小田急小田原線鶴川駅から徒歩 15 分**

**https://buaiso.com/**

PLAY! MUSEUM

企画展のjunaida展「IMAGINARIUM」（2022年10月8日～2023年1月15日）の会場写真。
撮影：白石和弘

企画展示の「谷川俊太郎　絵本★百貨展」（2023年4月12日～7月9日）の展示風景。
撮影：高橋マナミ

企画展示「エルマーのぼうけん」展（2023年7月15日～10月1日）の会場風景。
撮影：高橋マナミ

1 積み木型のロゴが並ぶ美術館入口。子どものための屋内遊び場「PLAY! PARK」は3階に。

2 美術館内にはカフェも併設。フロア全体の内装は手塚建築研究所（手塚貴晴＋手塚由比）が設計。

# いくつになっても楽しめる絵本やことばの奥深い世界

再開発により2020年に生まれた立川の新街区「GREEN SPRINGS」に開館した、絵とことばをテーマにした美術館です。「エルマーのぼうけん」をはじめとする児童文学や『コジコジ』などのまんが、谷川俊太郎さんがつくった絵本といったバラエティ豊かな企画展は、大人になってから触れると、新しい感動を呼び起こす奥深い内容です。大人も子どもも楽しめる工夫がいっぱい。カフェやショップは展覧会にあわせたオリジナルのフードやグッズが充実しており、いつ訪れても新鮮な気持ちになれる場所です。

美術館のアートディレクター、菊地敦己さんデザインのTシャツ。

オリジナルのフードやドリンクも人気。

## PLAY! MUSEUM
ぷれい みゅーじあむ

立川市緑町 3-1 GREEN SPRINGS W3棟 2・3階

- 042-518-9625
- 展覧会によって異なる
- 休 展示替え期間、年末年始
- ¥ 展覧会ごとに異なる
- JR立川駅・多摩モノレール立川北駅から徒歩10分
- https://play2020.jp/

写真提供：PLAY!

# 深沢小さな美術館

かすかなエロスと
女性美をたたえた
木像。館内には友
永さんが気に入っ
た作家の作品も展
示されている。

1 曲線が好きという作家の想いが作品・展示室に表れ、時間がゆったり流れる。

2 展示作品は新作などを交えて時期によって入れ替えられている。《青い鳥とりんご娘》(2020 年)

3 テレビで見ていたプリンプリンが、すぐ目の前に。じっと木目を見つめてみて。

## いまだ未完成！ 少しずつ進化する美術館

新宿駅から電車で約1時間、緑豊かな秋川渓谷にある造形作家、友永詔三（ともながあきみつ）さんのアトリエに併設された美術館。内装はもちろん、石に覆われた外観、鯉やチョウザメが泳ぐ池にいたるまで、すべて友永さんが手掛けたもの。庭園や建物は毎年少しずつバージョンアップしています。

館内にはかつてNHKで放送された人気の人形劇『プリンプリン物語』の人形がずらり。彼らは、NHKの人形劇番組ではじめて採用された球体関節人形です。関節部が球体によって形成されているため、より自由にイキイキと動ける点が魅力となりました。そのほか、きのこをモチーフにしたオブジェや女性の木像などが、ゆるやかな曲線を描く空間に展示されています。

### 建物へのこだわり

喫茶室への入口。外壁の石も作家自ら築き上げた。紅葉も自ら植えたもので秋に見頃となる。作品にも建物にも庭にも愛着がぎゅっと詰まっている。冬季(12 月～ 3 月)は休館となるのでご注意。

1 はじめて見る子も、懐かしいあの子も。人形たちがずらり。思い出話に花が咲きそう。

2 東日本大震災を機に生まれた作品。最近は仏像にも着手しているとのこと。

3 喫茶室には近隣の常連もよく遊びに来るという。庭を眺めながら、のんびりお茶を。

## 東京の渓谷で木のぬくもりを感じて

展示室を見終わったら併設された喫茶室へ。スペインの建築家、ガウディのサグラダ・ファミリアを連想させるなめらかな曲線が印象的な窓枠から、四季折々で表情を変えていく庭園の眺めを堪能してください。

ちなみに、最寄駅の武蔵五日市駅前から美術館までの道に時々あらわれる、赤や黄色の帽子をかぶった像は「ZiZi」という作家がつくった妖精たち。美術館に近づくにつれ、出合う機会が多くなります。ただ、駅からの道は非常に起伏が激しいので、車やタクシーの利用がおすすめです。

**深沢小さな美術館**
ふかさわちいさなびじゅつかん
**あきる野市深沢 492**

☎ 042-595-0336

10:00 ～ 17:00

休 水・木曜、冬季休業（12 ～ 3月）

¥ 一般 500 円ほか

JR 武蔵五日市駅から車・タクシーで 10 分

美術館まではZiZi たちがご案内！

# たましん美術館

蜂の巣をモチーフにした作品、長谷川仁《たまりば》は、多摩の土を使って着色されている。

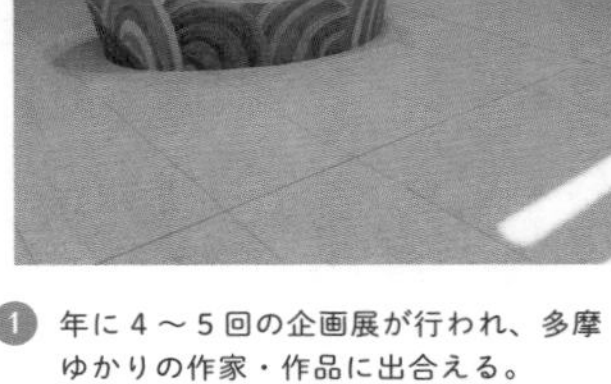

1 年に4〜5回の企画展が行われ、多摩ゆかりの作家・作品に出合える。

2 深い青色が印象的な美術館入口。建物は駅近くの好立地にある。

## 新しい芸術都市、立川に生まれた地元の信用金庫本店にある美術館

立川の「GREEN SPRINGS」に2020年に開館した、多摩信用金庫（通称：たましん）本店内にある美術館です。たましんはこれまで50年近くの間、ギャラリーの開設、地元芸術家の作品購入などを通じて、多摩地域の歴史・文化の普及、発展に力を入れてきました。本館はそれらの作品や、近現代の洋画や彫刻、日中韓の古陶磁など5000点にのぼる収蔵作品を中心に展示しています。

なお、立川は「まち全体が美術館」というコンセプトでまちづくりを進める地域。本館の近くには「PLAY! MUSIUM（p142〜143）」や、100以上のパブリックアートが街中に並ぶ地区「ファーレ立川」などもあり、1日たっぷりアートに親しめる街です。

**たましん美術館**
たましんびじゅつかん

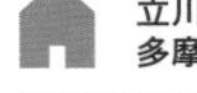

立川市緑町 3-4
多摩信用金庫本店 1 階

- ☎ 042-526-7788
- 10:00 〜 18:00（入館は閉館 30 分前まで）
- 休 月曜、年末年始、展示替え期間
- ¥ 一般 500 円ほか
- JR 立川駅から徒歩 6 分 多摩モノレール 立川北駅から徒歩 4 分
- https://www.tamashinmuseum.org/

# 三鷹市星と森と絵本の家

足もとや頭上など、いろいろな角度を眺めてみて。つぎつぎと何かを発見できる空間です。

## 絵本と天文と自然を楽しみながら学ぶ場

懐かしさを感じさせる和の建物は、1915年に建てられた国立天文台職員用の旧一号官舎棟を移築したもの。建物内には当時の雰囲気を忠実にいかしつつ、随所に子どもたちの好奇心を満たす仕掛けがいっぱい。引き出しや扉を開いてみると、かわいいオブジェや、解体の際に出てきた瓦などが出てきたり。

本棚は「ほし」や「もり」といった独自のテーマで分類。物語から図鑑までいろいろな本がまとめられており、興味の赴くままに本を選び、ちゃぶ台のある畳敷きの部屋や、ひなたぼっこが楽しい縁側など、好きなところで読書を楽しめます。昔の電話機やミシンなども、ふとしたところに置かれていて飽きることなく過ごせる場所です。ワークショップも行

## 空間へのこだわり

館内は子どもの好奇心、大人の感覚を刺激する空間づくりになっている。友だちの家でかくれんぼをしているような気持ちになりそう。入口には「あそびに来たよ！」のしるしに、木でつくられたチップをかけるボードも。また来たくなるポイントがいっぱい。

### 三鷹市星と森と絵本の家

みたかしほしともりとえほんのいえ

三鷹市大沢 2-21-3 国立天文台内

☎ 0422-39-3401

🕒 10:00 ～ 17:00

休 火曜、年末年始、メンテナンス期間

¥ 入館料無料

JR 武蔵境駅、三鷹駅、京王線調布駅から小田急バス 天文台裏バス停下車徒歩 5 分

https://www.city.mitaka.lg.jp/ehon/

われています。

ショップでは敷地内の草木で染めたトートバッグを販売。使う草木や染める人によって色合いが異なるのも魅力です。

ショップではトートバッグのほか、えんぴつのストラップ、Tシャツなども販売。

展示館には、田中の彫刻、書、資料などが展示されている。

# 小平市平櫛田中彫刻美術館

## 近代日本彫刻界の巨匠が暮らした梅の花が美しい旧宅が美術館に

1 庭園の梅の花を眺められるよう、居間の位置には配慮して設計された。

2 人気の高い作品、大黒天と恵比寿天をモチーフにしたクリアファイル（150円）。

国立劇場（2023年建て替え）のロビーを飾る《鏡獅子》の像でも知られる彫刻家、平櫛田中。田中は写実的な作風と卓越した技術で日本彫刻界を牽引しました。同館は、107歳まで制作を続けた田中が晩年を過ごした旧宅（記念館）と、作品を展示する展示館の2棟からなります。バラエティ豊かな田中作品を見られる企画展はもちろん、建築家・大江宏が設計した書院造りの旧宅も見どころ。非公開ですが、庭園の梅も見事です。庭園にある巨大な木の塊は、田中が100歳のときに彫刻用に購入したもので、20年以上かけて乾燥させてから使うつもりだったという、バイタリティあふれるエピソードが伝わっています。

**小平市平櫛田中彫刻美術館**
こだいらしひらくしでんちゅうちょうこくびじゅつかん
小平市学園西町 1-7-5

- 042-341-0098
- 10:00 ～ 16:00（入館はなるべく閉館 30 分前まで）
- 休 火曜（祝日の場合は翌日）、年末年始、展示替え期間
- ¥ 一般 300 円ほか
- 西武多摩湖線一橋学園駅から徒歩 10 分 JR・西武鉄道国分寺駅から西武バス一橋病院バス停下車徒歩 7 分
- https://www.city.kodaira.tokyo.jp/denchu/

平櫛田中の代表作《鏡獅子》がモチーフのトートバッグ（800 円）。

# 小金井市立はけの森美術館

## 清らかな水と森に囲まれた美術館

弟は画家の中村琢二、地元の先輩は児島善三郎。高校時代は揃って絵を描いていた。

1 「はけ」とは武蔵野周辺の崖に沿って水が湧き出る地形のこと。写真は水源のある「美術の森」。

2 館内には中村が使用したイーゼルや絵の具なども展示されている。

立川付近から国分寺、小金井は崖が続く街。その崖沿いにあるのが同館です。大正から昭和にかけて活躍した洋画家、中村研一の旧邸・アトリエ跡にオープンした私立美術館でしたが、今は寄贈され小金井市の運営に。館内では中村研一や同時代の作家の作品などを主体とした企画展を開催するほか、中村愛用の画材や茶碗なども展示されています。隣接する茶室「花侵庵」は2019年に国登録有形文化財の指定を受け、現在、さまざまな形でその歴史と魅力を伝えています。なお、「花侵庵」という名は、周囲から香る梅花にちなんで中村自身が名付けたとか。

**小金井市立はけの森美術館**
こがねいしりつはけのもりびじゅつかん
**小金井市中町 1-11-3**

- ☎ 042-384-9800
- 10:00～17:00（入館は閉館30分前まで）
- 休 月曜（祝日の場合は翌日）、年末年始、展示替え期間
- ¥ 一般 200 円ほか ※企画展開催中は特別料金
- JR 武蔵小金井駅から徒歩 15 分
- https://www.hakenomori-art-museum.jp/

絵葉書や一筆箋などオリジナルグッズも充実している。

旧邸宅にある仕事部屋。美しい自然を愛でながら原稿執筆や書画制作にいそしんでいた。

1 実篤は水のあるところに住みたいという願いを叶えて、この地に安住した。

2 記念館では実篤の生涯や原稿・絵画などを展示。閲覧室では近代日本文学の資料探しもできる。

# 調布市武者小路実篤記念館

## 理想に燃えた作家の終の棲家へ

小説に留まらず、美術や演劇、思想といった幅広い分野を執筆し、雑誌『白樺』の創刊、「新しき村」の創設など、精力的な活動を通じて人間の理想を追求した作家、武者小路実篤。とくに『白樺』においては、ロダンやゴッホなど欧米の美術動向を積極的に紹介するなど、日本の美術界にも大きな影響を与えました。同館では、実篤の本や原稿、絵や書、そして彼が収集した美術品などを保存・展示しています。展示替えは5週間に1度のペース。多方面で活躍した実篤の姿を顕彰しています。隣接する実篤公園は、晩年の彼が暮らしていた邸宅（2018年登録有形文化財に登録）が残る広大な公園。週末は邸宅の内部も公開しています。

**調布市武者小路実篤記念館**
ちょうふしむしゃこうじさねあつきねんかん
**調布市若葉町 1-8-30**

- 03-3326-0648
- 9:00 ～ 17:00（閲覧は10:00～16:00）
  ※旧実篤邸内部は毎週土・日曜、祝日公開（11:00 ～ 15:00）、雨天中止
- 休 月曜（祝日の場合は翌日）、年末年始
  ※展示室・閲覧室には休館日のほかに休室日あり
- ¥ 一般 200 円ほか
- 京王線仙川駅・つつじヶ丘駅から徒歩10分
- https://www.mushakoji.org

実篤がよく描いた野菜をモチーフにした榮太樓飴（梅ぼ志飴）。

# 玉堂美術館

玉堂が使用していた画室を復元。制作に向かう玉堂の姿が目に浮かぶよう。

1 展示替は年に7回。四季折々の移ろいに合わせた作品が飾られる。

2 静謐な庭園は、春や秋に訪れて長い時間滞在したいもの。

## 自然を描いた画家の作品を御岳で

人々が暮らす里山の自然を詩情豊かに描き、明治から昭和にかけて活躍した日本画家・川合玉堂。第二次世界大戦時の疎開をきっかけに移り住んだ御岳渓谷の自然、暮らしを気に入り、彼はその地を終の棲家としました。その地にある同館は、数寄屋造りの名手として知られる吉田五十八の設計。建物のなかには、生前使用していた画室も復元されており、少年の頃の素描から晩年の作品まで幅広く展示しています。少しずつ変遷する彼の作品と生涯をたどれます。

また、展示室から出ると目の前に広がる石庭も必見。数々の名庭園を手がけた造園家、中島健の設計による枯山水庭園は、近くの渓谷のせせらぎや、御岳の自然と一体化した神秘的な光景です。

**玉堂美術館**
ぎょくどうびじゅつかん
青梅市御岳 1-75

- 0428-78-8335
- 10:00 ~ 17:00(3月~ 11月)
  10:00 ~ 16:30(12月~ 2月)
  (入館は閉館 30 分前まで)
- 休 月曜（祝日の場合は翌日）、年末年始
- ¥ 一般 500 円ほか
- JR 御嶽駅から徒歩 5 分
- http://www.gyokudo.jp

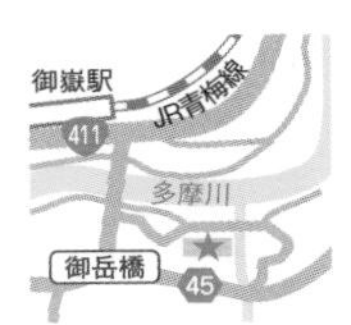

# 青梅きもの博物館

博物館外観。春先は梅の花が咲き誇り、周囲が梅の香りで包まれる。

1. 展示品について、博物館スタッフが詳しく解説してくれることも。
2. 館内には着物のほかに絵画や書、工芸品も並び、幅広く着物文化を学べる。

## 歴史ある皇室衣裳を目の前で

東京都青梅市の自然豊かな環境に建つ同館。築200年を越す土蔵を増築した木造の建物は、昔ながらの情緒を残す佇まいです。和装の学校を運営し、きもの文化の普及を行ってきた鈴木十三男が収集した500点以上の着物が収集・展示されています。充実しているのが、通常なかなか見る機会のない宮廷衣裳や時代衣裳。大正天皇の即位式に着用された元梨本宮ご夫妻の衣裳は、織りの美しさを堪能できます。また、元東宮侍従の浜尾実が天皇家から拝領した品々を展示している「浜尾記念室」には、ボンボニエールや、天皇陛下ゆかりの品々も展示しています。

開館は金曜日から日曜日まで、冬季は休館となるのでご注意を。

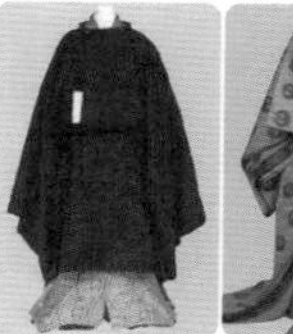

皇族妃が即位式に着用された正装「五衣小袿」(写真右)と、殿下が着用された束帯「衣冠」。

**青梅きもの博物館**
おうめきものはくぶつかん
青梅市梅郷 4-629

- ☎ 0428-76-2019
- 10:00 ～ 16:00
- 休 月・火・水・木曜、冬季期間（12、1、2月）
- ¥ 一般 800 円ほか
- JR 日向和田駅から徒歩 15 分
- http://www.omekimono.jp/

# 神奈川県エリア Kanagawa

① 岩崎博物館(ゲーテ座記念館)

② 横浜山手西洋館
(山手 111 番館、横浜市イギリス館、山手 234 番館、エリスマン邸、ベーリック・ホール、外交官の家、ブラフ 18 番館)

③ 象の鼻テラス

④ 横浜人形の家

みらい美術館 (map p.156)

そごう美術館 (map p.160)

◎ 鎌倉エリア
(英国アンティーク博物館、鎌倉市鏑木清方記念美術館、鎌倉国宝館、神奈川県立近代美術館 鎌倉別館、北鎌倉 葉祥明美術館)

◎ 神奈川県エリアそのほか

山口蓬春記念館 (map p.167)

カスヤの森現代美術館 (map p.168)

展示内容によって、開館時間や入館料金が異なることがあります。
お出かけ前に、各館の公式ウェブサイトなどをご確認ください。

# みらい美術館

## アール・ヌーヴォーに花開く ガラス工芸の世界

横浜歯科医療専門学校を運営するみなとみらい学園の創始者で、ガラス工芸品収集家の鶴見輝彦氏の遺志を受け開館した美術館です。鶴見氏はガラス工芸には「焼成、研磨、色調」などの歯科技工と共通する要素があることに気付き、積極的にガレやドーム、ラリックなどの作品を収集し、学生に公開していました。現在は年に2~3回のペースで企画展を開催。同じ素材でも作家によって大きく趣きが変わるガラス工芸作品を展示しています。

1. 展示中は360度回って観られる《フランスの薔薇》。
2. 落ち着いた照明の館内。
3. アメリカを代表するガラス工芸家ルイス・C・ティファニーのランプ《紫陽花》。
4. 美術館ロビー前も展覧会ごとに作品が展示されている。

ガラス同士を融着させる高度な技法を複数駆使してつくられたエミール・ガレ《フランスの薔薇》(1902年)。

**みらい美術館**
みらいびじゅつかん

**横浜市西区高島 1-2-15**
**みなとみらい学園ビル 2階**

☎ 045-222-8696

10:00 ~ 17:00(入館は閉館30分前まで)

休 月・火・水・木曜

¥ 一般800円ほか

みなとみらい線新高島駅から徒歩2分
市営地下鉄ブルーライン高島町駅から徒歩6分

https://tsurumi-ikueikai.jp/miraimuseum/

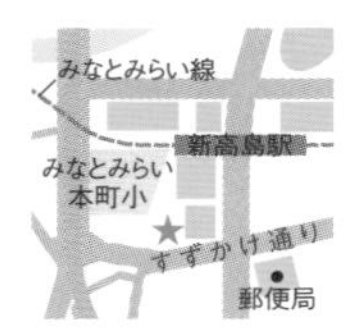

# 岩崎博物館（ゲーテ座記念）

## ドレス着用・撮影もできる服飾の歴史をたどれるミュージアム

1870年に建設された、日本初の西洋式劇場「ゲーテ座」。その跡地に1980年に開館した、服飾資料や美術工芸品を収集・展示する美術館です。現在の建物は学校法人岩崎学園の創立50周年記念事業の一環として建てられました。古代エジプトから現代までのファッションの歴史を一気にたどれる1／2サイズの服の展示は細部まで見とれてしまいそう。予約制のドレス体験コーナーでは、16～19世紀末のドレスを着て写真を撮ることができ人気です。

① 1/2 サイズの展示だから、背伸びしたりかがんだりせず、衣服の肩口から足元までじっくり見られる。

② ドレス体験コーナーは春夏と秋冬で衣替えあり。各シーズン 11 着ずつ。

**岩崎博物館（ゲーテ座記念）**
いわさきはくぶつかん（げーてざきねん）
**横浜市中区山手町 254**

☎ 045-623-2111

🕒 10:00 ～ 17:00
（入館は閉館 30 分前まで）

休 月曜（祝日の場合は翌日）、年末年始（特別展等の際、変更の場合もあり。来館の前に電話にて要確認）

¥ 一般 300 円ほか

🚌 みなとみらい線元町・中華街駅から徒歩 3 分
JR 桜木町駅から中央交通バス・横浜市営バス 港の見える丘公園前バス停下車徒歩 1 分

🌐 https://www.iwasaki.ac.jp/museum/index.html

天井の高いカフェスペースは、隠れた人気スポット（土・日曜のみ営業）。

ベーリック・ホール

外交官の家

ベーリック・ホールの「子息の部屋」。クワットレフォイルの小窓に注目。

# 横浜山手西洋館

## 歩いて楽しめる横浜・山手の洋館めぐり

外国人居留地だった横浜の山手の公園には洋館7つが移築・復元され、それぞれ一般公開されています。西洋館とひとくくりにされてはいますが、それぞれに建物の用途、様式が異なっているのが魅力的ですべて見たくなります。

山手イタリア山庭園内には、アール・ヌーボー風の意匠が館内にほどこされた外交官の家と、オレンジ色のフランス瓦とグリーンの窓枠が白い壁に映えるブラフ18番館の2館があり、元町公園には、スパニッシュスタイルを基調としたベーリック・ホール、近代建築の父とも評されるアントニン・レーモンド設計のエリスマン邸、外国人向けアパートとしてつくられた山手234番館が並びます。そして、港の見える丘公園には、赤い瓦屋根に白壁の建物が美しい山手111番館、英国総領事公邸として設計された横浜市イギリス館の2館。すべてを一度に見るには、併設されたカフェでの休憩を含めて2～3時間程度はとりたいもの。土地の起伏の激しい場所にあるので、歩きやすい靴で訪問しましょう。

山手234番館

ブラフ 18 番館

横浜市イギリス館

エリスマン邸

山手 111 番館

## 横浜山手西洋館
よこはまやまてせいようかん

¥ 入館料無料

9:30 ～ 17:00 ※喫茶利用時間 10：00 ～ 16：00（カフェ エリスマン）、10:00 ～ 17:00（カフェ・ザ・ローズ）、10：00 ～ 16：30（ブラフガーデンカフェ）

JR 石川町駅から館によって徒歩 5 ～ 18 分、みなとみらい線元町・中華街駅から徒歩 5 ～ 15 分と異なる

https://www.hama-midorinokyokai.or.jp/yamate-seiyoukan/

山手111番館　横浜市中区山手町 111
☎ 045-623-2957　休 第 2 水曜（祝日の場合は翌日）、年末年始

横浜市イギリス館　横浜市中区山手町 115-3
☎ 045-623-7812　休 第 4 水曜（祝日の場合は翌日）、年末年始

山手234 番館　横浜市中区山手町 234-1
☎ 045-625-9393　休 第 4 水曜（祝日の場合は翌日）、年末年始

エリスマン邸　横浜市中区元町 1-77-4
☎ 045-211-1101　休 第 2 水曜（祝日の場合は翌日）、年末年始

ベーリック・ホール　横浜市中区山手町 72
☎ 045-663-5685　休 第 2 水曜（祝日の場合は翌日）、年末年始

外交官の家　横浜市中区山手町 16
☎ 045-662-8819　休 第 4 水曜（祝日の場合は翌日）、年末年始

ブラフ18 番館　横浜市中区山手町 16
☎ 045-662-6318　休 第 2 水曜（祝日の場合は翌日）、年末年始

こだわりポイント

### カフェへのこだわり

喫茶スペースは山手 111 番館、エリスマン邸、外交官の家にある。それぞれ異なる風景で、至福のひとときを過ごせる。

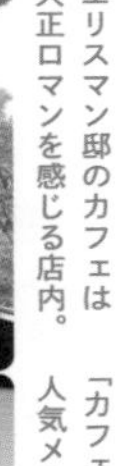
エリスマン邸のカフェは大正ロマンを感じる店内。

「カフェ　エリスマン」の人気メニュー、桃のタルト。

# そごう美術館

館内の配置は展覧会ごとにフレキシブルに変更される。

## 雨に濡れずに行ける！デパートのなかの美術館

横浜駅東口からほど近い、そごう横浜店内にある美術館です。デパートのなかでよく催されている美術展とは異なり、日本ではじめて博物館法に基づく登録を行った本格的な美術館。保存や人員の体制が法律に則って整えられています。豊かな色彩が魅力の鈴木信太郎の油彩作品など、約１００点の収蔵品を持ちながら、洋画や日本画、彫刻や書、写真やアニメなどジャンルにとらわれることなく、30年間にわたり幅広い展覧会が開催されています。デパート内という立地のため、美術館帰りにお買い物やお食事も楽しめるのがうれしい。ミュージアムショップのグッズも、展覧会ごとにバラエティ豊かに取り揃えられています。

ルノワールの彫像が入口に展示されている。

1. 2022年開催「KAGAYA 星空の世界展」。
2. 2019年開催「令和元年記念 北斎展［HOKUSAI］」の展示風景。

**そごう美術館**
そごうびじゅつかん

横浜市西区高島 2-18-1
そごう横浜店 6 階

045-465-5515

10:00 ～ 20:00
（入館は閉館 30 分前まで）

休：展示替え期間
※時間・休館日はそごう横浜店に準じる。

¥：展示内容により異なる

JR・みなとみらい線・相鉄線・京急本線・東急東横線ほか横浜駅から徒歩 3 分

https://www.sogo-seibu.jp/common/museum/

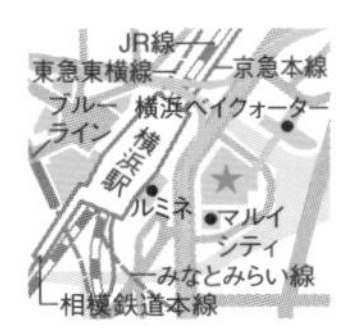

# 象の鼻テラス

世界の港町をつなぐ文化交流プロジェクト「ポート・ジャーニー・プロジェクト」の「Soup Tasting River Yokohama — Hamburg」展（2018年）より佐藤未来の作品。
Photo: Hajime Kato

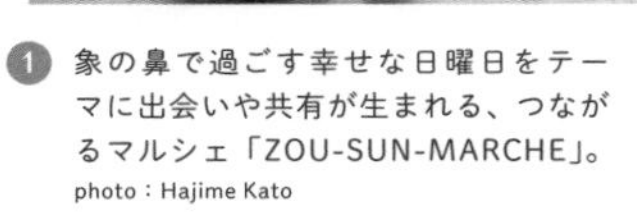

① 象の鼻で過ごす幸せな日曜日をテーマに出会いや共有が生まれる、つながるマルシェ「ZOU-SUN-MARCHE」。
photo：Hajime Kato

② 象の鼻テラスのシンボルオブジェ、椿昇《時をかける象（ペリー）》。
photo：Katsuhiro Ichikawa

## 空と海に抱かれた港のアートスポット

横浜の観光スポット、赤レンガ倉庫と山下公園に来たら、ぜひ一緒に訪れたいのが、それらの中間地点にある、象の鼻地区のアートスペース兼レストハウスです。カフェ内にはさまざまなアートが散りばめられています。海が見える窓には、詩人・谷川俊太郎さんの詩『〈象の鼻〉での24の質問』が書き込まれ、窓景色がアートに！　現代美術家の椿昇（つばきのぼる）さんによる象の形をしたオブジェは、その名も《時をかける象（ペリー）》。休憩したい人はのんびり休憩を、アート目的の人は積極的に参加を、と自由に楽しめます。カフェの人気メニューはゾウノハナソフトクリーム。かわいくて、クリーミーでおいしい！　外の芝生に寝転んで、ゆったりひなたぼっこも素敵です。

**象の鼻テラス**
ぞうのはなてらす
**横浜市中区海岸通 1**

- ☎ 045-661-0602
- 🕒 10:00 ～ 18:00
- 休 年中無休　¥ 入館料無料
- みなとみらい線日本大通り駅から徒歩 3 分
- http://www.zounohana.com

象の形をした「ゾウノハナソフトクリーム」。
photo：Katsuhiro Ichikawa

# 横浜人形の家

## 世界各地の人形文化に触れられる穴場スポット

山下公園のそば、元町・中華街駅から至近にある「横浜人形の家」は、三角形のトンガリ屋根が特徴の、人形を専門とする博物館です。人間国宝がつくった人形をはじめ、ビスクドールや民族人形など日本だけではなく世界中から集められた人形の数々が常設展示されており、異国の人形の歴史と文化を感じられます。その一方で、ユニークな企画展も見逃せません。企画展示はトレンド感あふれるテーマで定期的に開催されており、じっくり回った分だけ新発見があるはず。1階にあるカフェ「エリオットアベニュー」では、本格的なエスプレッソやていねいに描かれたラテアートが楽しめます。また、ショップでは、お土産にぴったりな展示関連グッズを購入できます。

大きな窓で開放感たっぷりのカフェでは、手づくりのケーキや軽食も楽しめる。

1 「西洋の人形」コーナーはビスクドール、レンチドールなど西洋の人形を紹介。

2 世界各国の人形が地域やテーマ、歴史ごとに展示されている。御所人形、雛人形など日本の伝統的な人形も紹介。

**横浜人形の家**
よこはまにんぎょうのいえ
**横浜市中区山下町 18**

- ☎ 045-671-9361
- 9:30 ～ 17:00（入館は閉館30分前まで）
- 休 月曜（祝日の場合は翌日）、年末年始
- ¥ 一般 400 円ほか
- みなとみらい線元町・中華街駅から徒歩 3 分
- http://www.doll-museum.jp

ミルクで絵を描くカフェラテアートも楽しみのひとつ。

# 英国アンティーク博物館

## 古都鎌倉で楽しむ イギリス・アンティークの世界

鶴岡八幡宮への参道「段葛（だんかずら）」沿いに2022年に開館した同館は、英国アンティークコレクター土橋正臣さんが収集したアンティークを展示する博物館。シャーロック・ホームズの部屋を再現するなど、フロアごとにテーマを設定し、古きよきイギリスの世界に飛び込んだ気分に浸れます。デザイン監修を建築家の隈研吾さんがつとめ、鎌倉彫の意匠を取り込んだファサードや、鶴岡八幡宮を借景にした茶室なども見どころです。

隈研吾さんデザインの立礼式茶室。掛け軸に見立てた小窓から鶴岡八幡宮が眺められる。

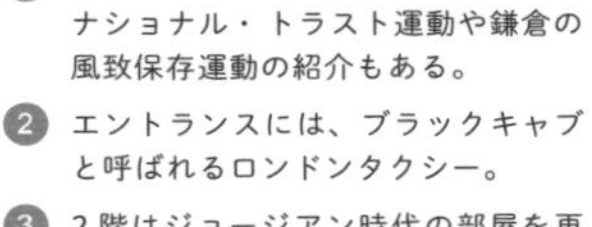

1. ヴィクトリア時代を再現した4階はナショナル・トラスト運動や鎌倉の風致保存運動の紹介もある。
2. エントランスには、ブラックキャブと呼ばれるロンドンタクシー。
3. 2階はジョージアン時代の部屋を再現。イギリスアンティークが並ぶ。
4. シャーロック・ホームズ博物館の公式ライセンスグッズも。写真はテディベア（16,500円）。

**英国アンティーク博物館**
えいこくあんてぃーくはくぶつかん
鎌倉市雪ノ下 1-11-4-1

- ☎ 0467-84-8689
- 10:00 ～ 17:00（入館は閉館30分前まで）
- 休 夏季休館（HPで要確認）
- ¥ 一般 1300 円ほか
- JR・江ノ島電鉄線 鎌倉駅から徒歩 7 分
- https://www.bam-kamakura.com/

# まだある！鎌倉エリア おすすめ4館

## ①鎌倉市鏑木清方記念美術館

建築家・吉田五十八に依頼した画室が再現されている（写真右下）。展示室（写真上）のあとは、中庭もご覧あれ。

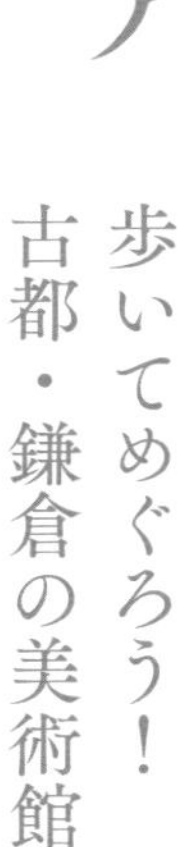


鎌倉駅から北鎌倉駅の間は美術館が連なる楽しいエリア。

小町通りにある鏑木清方記念美術館は日本画家、鏑木清方の旧居跡に建っています。美人画で知られた清方の繊細な作品、木版画などが保存・展示されています。中庭には、彼の好んだ四季の草花が植えられ、風情たっぷり。

鶴岡八幡宮境内にある鎌倉国宝館は鎌倉市域、近隣の社寺に伝来する文化財の保管・展示をする美術館。岡田信一郎による建物には、鳩山会館（p90）でも使用されていたステンドグラス作家、小川三知の作品が用いられています。浮世絵の収蔵品も充実しています。

日本で最初の公立近代美術館である神奈川県立近代美術館は、鎌倉館の閉館（2016年）後、鎌倉別館と葉山館のふたつの建物で活動しています。大髙正人設計の鎌倉別館は、1984年に開館。近現代美術を中心に年数回の企画展やコレクション展が楽しめます。野外彫刻の点在する庭園とカフェは、観覧券不要で利用可能です。

北鎌倉 葉祥明美術館は、絵本画家・葉祥明さんの美術館。かわいらしいレンガ造りの洋館で、大空が広がるやさしいタッチの原画を趣きの異なる6つの部屋で鑑賞できます。大きなアメリカ楓や、アジサイ・バラの咲く庭も見どころです。

4つの美術館はすべて歩いて移動できます。寺社仏閣とともに、美術館めぐりもお楽しみください！

## ②鎌倉国宝館

寺院建築の手法を用いた空間で、仏像の迫力を味わえる（写真上）。ステンドグラスの星と月のマークはかつての鎌倉町の町章（写真左下）。

## ③神奈川県立近代美術館 鎌倉別館

鎌倉から北鎌倉へ抜ける鶴岡八幡宮脇の道路沿いにある。山に包まれたかのような建物。

# ④北鎌倉 葉祥明美術館

画家で詩人のお父さんとその家族4人で暮らしていたという設定の館内に、心がなごむ。

## 神奈川県立近代美術館 鎌倉別館

かながわけんりつきんだいびじゅつかん　かまくらべっかん

鎌倉市雪ノ下 2-8-1

- 0467-22-5000
- 9:30 ～ 17:00（入館は閉館 30 分前まで）
- 休 月曜（祝日の場合は開館）、年末年始、展示替え期間
- ¥ 一般 250 円ほか（展覧会により異なる）
- JR・江ノ島電鉄線鎌倉駅から徒歩15分
- www.moma.pref.kanagawa.jp

## 北鎌倉 葉祥明美術館

きたかまくら　ようしょうめいびじゅつかん

鎌倉市山ノ内 318-4

- 0467-24-4860
- 10:00 ～ 17:00
- 休 年中無休
- ¥ 一般 600 円ほか
- JR 北鎌倉駅から徒歩 8 分
- http://www.yohshomei.com/museum_kita.html

## 鎌倉市鏑木清方記念美術館

かまくらしかぶらききよかたきねんびじゅつかん

鎌倉市雪ノ下 1-5-25

- 0467-23-6405
- 9:00 ～ 17:00（入館は閉館 30 分前まで）
- 休 月曜（祝日の場合は翌平日）、年末年始、展示替え期間
- ¥ 一般 300 円ほか ※特別展開催中は特別料金
- JR・江ノ島電鉄鎌倉駅から徒歩 7 分
- http://kamakura-arts.or.jp/kaburaki/

## 鎌倉国宝館

かまくらこくほうかん

鎌倉市雪ノ下 2-1-1

- 0467-22-0753
- 9:00 ～ 16:30（入館は閉館 30 分前まで）
- 休 月曜（祝日の場合は翌平日）、年末年始、特別整理期間、展示替え期間
- ¥ 一般 400円ほか ※展示内容により異なる
- JR・江ノ島電鉄鎌倉駅から徒歩12分
- http://www.city.kamakura.kanagawa.jp/kokuhoukan/

# 山口蓬春記念館

山と海が一望できる画室。住まいを葉山に移してから、絵のモチーフに海が増えたという。

## 潮風が薫る葉山に佇む画家のアトリエ

JR逗子駅からバスで20分。葉山の一色海岸を望む山の中腹に、同館はあります。伝統的な日本画を追求しつつも、西洋画の技法を積極的にとり入れるなどして、独自の画風を確立した山口蓬春。彼が戦後の23年間を過ごした葉山の邸宅が記念館となりました。彼の作品や素描、模写などのほか、収集していた美術品が、四季折々の草木を楽しめる庭園と共に公開されています。この建物は蓬春の学友で、近代数寄屋建築の創始者・吉田五十八(いそや)が増改築を行い、大江匡(おおえただす)の設計によって記念館へと改修されたもの。2人の名建築家の感性が融合し、モダンな佇まいをつくり出しています。2階の旧画室や別館2階からは、天気のよいときには大島まで見渡せます。

1 蓬春の残した作品に思いをよせて。

2 グッズはポストカードやクリアファイル、一筆箋、書籍など幅広く扱っている。

**山口蓬春記念館**
やまぐちほうしゅんきねんかん
三浦郡葉山町一色 2320

- 046-875-6094
- 9:30 ～ 16:00（入館は閉館 30 分前まで）
- 休 月曜（祝日の場合は翌日）、年末年始、展示替え期間、館内整備日
- ¥ 一般 600 円ほか
- JR 横須賀線ほか逗子駅、京浜急行線逗子・葉山駅から京浜急行バス 三ケ丘(さんがおか)・神奈川県立近代美術館前バス停下車徒歩 2 分
- https://www.hoshun.jp/

手入れが行き届いた庭園も鑑賞のポイント。

# カスヤの森現代美術館

韓国を代表する、ヴィデオアートの先駆者ナム・ジュン・パイクの作品は常設展示。

## 現代美術と会話できる空間

JR横須賀線、衣笠駅から歩くこと15分、住宅地を抜けると、小高い丘の自然林に囲まれた私立美術館が現れます。美術家の若江漢字、若江栄戽（はるこ）館長夫妻が永年の活動のなかで蒐集してきたヨーゼフ・ボイスやナム・ジュン・パイク、李禹煥などの作品を鑑賞できるほか、現在活躍中の作家の個展やイベントも開催されています。4つある展示室をめぐったら、宮脇愛子の作品《うつろひ》が置かれた竹林の散策をどうぞ。竹林のなかに、ひんやりとした金属が置かれた光景はなんとも神秘的。鑑賞後はラウンジでゆっくりとコーヒーなどを楽しみましょう。天井の高い壁一面にも、コレクションが並び、窓には緑豊かな竹林が映ります。

1. 松澤宥さん、若江漢字さんの常設展示室が新設され、コンセプチュアルな作品に刺激される。
2. ランチは、クロックムッシュと飲み物がセットで。こだわりの素材を使ったやさしい味。

人気のグッズは、ヨーゼフ・ボイスのポストカードセット（手前）とヨーゼフ・ボイスの木製ポストカード。

**カスヤの森現代美術館**
かすやのもりげんだいびじゅつかん
**横須賀市平作7-12-13**

- ☎ 046-852-3030
- 10:00 ～ 17:30（入館は閉館30分前まで）
- 休 月・火・水曜、展示替え期間
- ¥ 一般800円ほか
- JR衣笠駅から徒歩15分
  京浜急行汐入駅から京急バス 金谷バス停下車徒歩7分
- https://www.museum-haus-kasuya.com

small museums in Tokyo

12

# ちょっと足をのばして 埼玉・千葉・栃木エリア

埼玉県　ヤオコー川越美術館
三栖右嗣記念館

埼玉県　さいたま市岩槻人形博物館

埼玉県　河鍋暁斎記念美術館

千葉県　松山庭園美術館

栃木県　小杉放菴記念日光美術館

小旅行気分で！

展示内容によって、開館時間や入館料金が異なることがあります。
お出かけ前に、各館の公式ウェブサイトなどをご確認ください。

# ヤオコー川越美術館 三栖右嗣記念館

室内中央にある柱が大きく美しい曲線を描き、寛げる空間を演出している。

1 カフェスペースでもあるラウンジ。コンサートも不定期で開催される。飲み物と入館料がセットになったお得なチケットもある。

2 クリアファイルやポストカードの種類が豊富なショップ。

## 人気のおはぎも食べられる 国際的な建築家が手掛けた美術館

古い町並みで人気の川越にある同館は、埼玉県を中心に展開するスーパーマーケット「ヤオコー」が創立120周年を記念して開いた美術館。ヤオコー実質上の創業者、川野トモが愛した洋画家の三栖右嗣(みすゆうじ)作品を展示しています。対象をあたたかい視点で見つめ、写実的に描いた三栖の作品は年に2回のペースで展示替えが行われています。

4つの部屋ごとに光の差し込み方が異なる建物は、国際的に活躍する伊東豊雄さんが設計したもの。ラウンジで楽しめるおはぎは、近年インターネットを中心に評判になっている、ヤオコー特製のおはぎ。控えめな甘さで小豆本来の香りをしっかりと感じられます。

**ヤオコー川越美術館**
**三栖右嗣記念館**
やおこーかわごえびじゅつかん
みすゆうじきねんかん
**埼玉県川越市氷川町 109-1**

- 049-223-9511
- 10:00 ～ 17:00（入館は閉館 30 分前まで）
- 休 月曜（祝日の場合は翌日）、年末年始
- ¥ 一般 300 円ほか
- JR・東武東上線川越駅、西武新宿線本川越駅から東武バス 川越氷川神社バス停下車徒歩 3 分
  小江戸巡回バス 川越氷川神社前バス停下車徒歩 3 分
- https://www.yaoko-net.com/museum/

川越市役所
JR川越線
254
東武東上線
川越市駅
西武新宿線
本川越駅
16
川越駅

# さいたま市岩槻人形博物館

## 「人形のまち」で人形文化の魅力と奥深さを伝える

中央の《犬筥》は子どもの成長を願う一対の縁起物で、博物館の人気者。

人形の産地として知られている、さいたま市岩槻区。現在も駅前には数多くの人形店が軒を連ねています。同館は、そんな地にある人形専門の博物館です。常設展示では、岩槻に伝わる人形づくりの技を、動画も用いてわかりやすく解説するほか、日本画家で人形玩具収集家としても知られていた西澤笛畝（てきほ）のコレクションを中心に、雛人形から御所人形、嵯峨人形などの日本の古典人形、さらには、人間国宝・平田郷陽（ごうよう）の作品など近代の創作人形までさまざまな人形を展示しています。また、年に数回開催される特別展・企画展では、日本の人形文化や歴史を掘り下げて紹介するとともに、人形をつくり出す職人や作家にも焦点を当てています。

ポチ袋だってつくれちゃう。

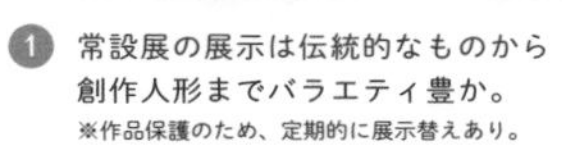

1 常設展の展示は伝統的なものから創作人形までバラエティ豊か。
※作品保護のため、定期的に展示替えあり。

2 絵付ワークショップなど人形の理解が深まるイベントも開催。

**さいたま市**
**岩槻人形博物館**
さいたましいわつきにんぎょうはくぶつかん

**埼玉県さいたま市岩槻区本町6-1-1**

☎ 048-749-0222

9:00 ～ 17:00
（入館は閉館 30 分前まで）

休 月曜（祝日の場合は開館）、年末年始（12 月 28 日から1 月 4 日まで）、臨時休館日

¥ 一般 300 円ほか

東武アーバンパークライン（野田線）岩槻駅から徒歩 10 分

https://ningyo-muse.jp/

# 河鍋暁斎記念美術館

幕末から明治時代を生き、狩野派から浮世絵まで幅広く描いた画家の作品に出合える。

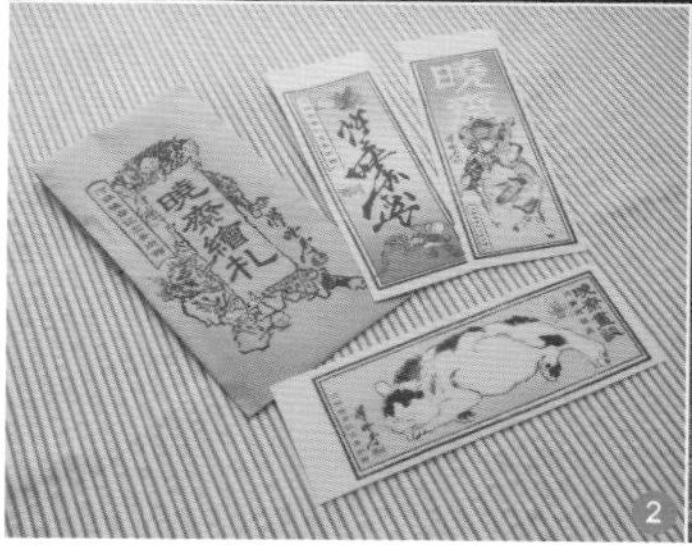

## 仏画も風刺画も手掛けた万能絵師に出会う

建築家ジョサイア・コンドルも入門していた日本画家、河鍋（かわなべ）暁斎（きょうさい）。狩野派に学びながら、ほかの流派の画法も積極的に取り入れた彼は、錦絵や戯画、妖怪画などバラエティに富んだ作品を描き、日本のみならず、国際的に高い評価を得ていました。過激な風刺画で捕縛されるなど、ラディカルな精神を持つ一方、幼い頃からこよなく愛したカエルを生涯描き続けるという、愛らしい一面も持つ魅力的な画家です。同館は、彼と娘の河鍋暁翠（きょうすい）の作品や下絵、画稿を所蔵・展示しています。暁斎のひ孫にあたる館長が自宅を改装して創設し、テーマを替えて展示しています。ショップではオリジナルグッズも充実しています。

1. 館内には暁斎の好きだったカエルがあちこちに。カエルグッズも販売。
2. 暁斎の絵画や署名を使った「暁斎絵札」。全部で16種類あり、ランダムに3枚が1袋に入って110円。

**河鍋暁斎記念美術館**
かわなべきょうさいきねんびじゅつかん
埼玉県蕨市南町 4-36-4

- 048-441-9780
- 10:00 ～ 16:00
- 休：火・木曜、毎月 26 日～末日、年末年始、展示替え期間
- 一般 600 円ほか
- JR 西川口駅から徒歩 20 分
- http://kyosai-museum.jp

暁斎関連書籍やオリジナルグッズを扱うショップにも立ち寄って。

# 松山庭園美術館

落ち着きのある空間に、此木の作品とコレクションが並ぶ。自身の勉学のために茶道具や蒔絵琴なども収集したという。

## ネコとたっぷり触れ合える美術館

成田空港に近い田んぼの中の丘の上にある、画家で彫刻家の此木三紅大さんのアトリエを開放した美術館。約3000坪の敷地には枝垂桜、モミジ、エゴノキなどが植えられ、吹き抜ける風もさわやかに四季の美しさを味わえます。館内には此木作品のほか、彼が収集した国内外の名画や茶道具を展示。サービスの緑茶をいただきながら、館長やスタッフとの語らいができるのも魅力のひとつです。

また、ネコと触れ合える美術館としても愛猫家の間では有名。館内でまどろんだり、庭園内で駆けっこをしたり、ネコとたっぷり遊びましょう。毎年4月中旬から7月末まで全国から300名もの猫作家さんの競演「猫ねこ展覧会」も開催されています。

名前の通り、四季折々の美しさを見せる庭園も見もの。

1. コンサートやお茶会も開催されている。お茶会では所蔵品の名品を手にする機会も！
2. 庭園には彫刻が点在。松や桜、萩、もみじなど、四季の移ろいに合わせて咲き誇る。

**松山庭園美術館**
まつやまていえんびじゅつかん
千葉県匝瑳市松山 630

- 0479-79-0091
- 10:00 ～ 17:00（7月・8月 ～18:00）
- 休 月～木曜（祝日は開館）
- ¥ 一般 800 円ほか
- JR 八日市場駅から車・タクシーで 10 分
- http://matuyamaartmuseum.web.fc2.com/

# 小杉放菴記念日光美術館

代表作のひとつ、《泉》（1925年頃）などを鑑賞できる展示室。

1. 蛇の目傘の骨を参考にした屋根組が印象的なエントランスホール。窓からの眺めもよい。
2. 古くから長寿の果実として知られるザクロのシロップを使用した「仙人ソーダ」。

## 多才な画家の作品を自然あふれる日光で

明治から昭和にかけて活躍した日光出身の画家、小杉放菴。彼は、洋画家、まんが家、挿絵画家、日本画家、と、ジャンルを越えたさまざまな顔を持ち、幅広く活躍していました。この美術館では、彼や、彼と交流があった画家の作品を中心に収集・展示を行っています。とくに彼が日本全国を旅して描いた寫生（写生）画は、量も質も特筆すべきもの。また、三角屋根、門扉、外壁など、細部までかわいらしい建物も鑑賞ポイントです。エントランスホールの奥からは、日光の美しい景観を楽しめます。カフェ アン・レーヴでは、「仙人になった画家」とも称された放菴にちなんだドリンク「仙人ソーダ」を味わえます。さわやかな酸味ですっきりとした後味の一杯です。

鑑賞後は喫茶室「カフェ アン・レーヴ」へどうぞ。

**小杉放菴記念**
**日光美術館**
こすぎほうあんきねんにっこうびじゅつかん
栃木県日光市山内2388-3

- ☎ 0288-50-1200
- 9:30 ～ 17:00（入館は閉館 30 分前まで）
- 休 月曜（祝日の場合は翌日）、展示替え期間、館内メンテナンス期間
- ¥ 一般 730 円ほか
- 東武鉄道東武日光駅・JR 日光駅から東武バス神橋バス停下車徒歩 3 分
- http://www.khmoan.jp

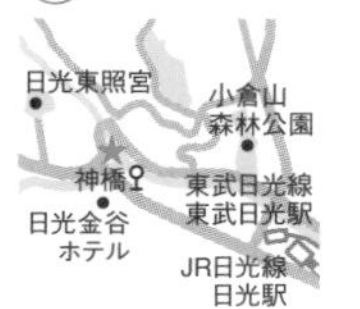

column 4

老舗グルメと一緒にアートも楽しめる

# BUNMEIDO CAFE

日本橋室町にある「BUNMEIDO CAFE」は、カステラなどのスイーツとともに、創立者らが収集した名画も楽しめるカフェとして人気です。

## 老舗の珠玉コレクションとともに

「カステラ1番、電話は2番」のキャッチコピーで知られる、創立から100年を越える文明堂。日本橋本店に併設されたカフェ「BUNMEIDO CAFE」には「文明堂ギャラリー」があり、創立者の宮﨑甚左衛門と親交が深かった美人画で知られる日本画家・伊東深水の《月の出》（写真左）のほか、季節に合わせた名画を鑑賞できます。カフェは人気どらやき「三笠山」の生地を使ったパンケーキ（写真下）などスイーツ、フード類も充実しています。

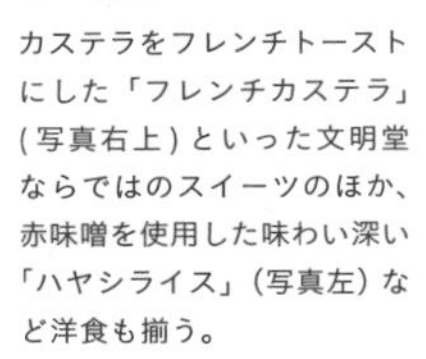

カステラをフレンチトーストにした「フレンチカステラ」（写真右上）といった文明堂ならではのスイーツのほか、赤味噌を使用した味わい深い「ハヤシライス」（写真左）など洋食も揃う。

**BUNMEIDO CAFE**
ぶんめいどうかふぇ
**中央区日本橋室町 1-13-7**

03-3245-0002

11：30 ～ 20：00
（土・日曜・祝日 ～18：30）

東京メトロ銀座線・
半蔵門線三越前駅から徒歩1分

https://www.bunmeido.co.jp/

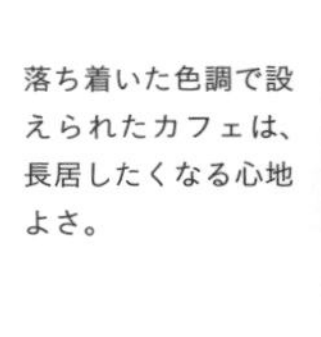

落ち着いた色調で設えられたカフェは、長居したくなる心地よさ。

併設ショップで、しっとりと口どけのいいカステラを購入することも可能。

写真：岡本太郎記念館


## 浦島茂世　Moyo Urashima

美術館、博物館、資料館はおまかせ。美術館訪問が日課のフリーライター。時間を見つけては美術館やギャラリーへ足を運び、内外の旅行先でも美術館を訪ね歩く。Webや雑誌など、幅広いメディアで活躍中。主な著書に『京都のちいさな美術館めぐり プレミアム』『企画展だけじゃもったいない 日本の美術館めぐり』（ともにGB）、『カラー版 パブリックアート入門　タダで観られるけど、タダならぬアートの世界』（イースト・プレス）などがある。



staff

| | |
|---|---|
| 編集 | 中尾祐子 |
| 営業 | 峯尾良久、長谷川みを、出口圭美 |
| 撮影 | 岡本裕介、佐藤貴佳、宗野歩 |
| AD | 山口喜秀（Q.design） |
| デザイン | 別府拓、村上森花（Q.design） |
| 地図制作 | マップデザイン研究室 |
| 校正 | 大木孝之 |

改訂新版　東京のちいさな美術館めぐり

| | |
|---|---|
| 初版発行 | 2023年10月28日 |
| 著者 | 浦島茂世 |
| 編集・発行人 | 坂尾昌昭 |
| 発行所 | 株式会社 G.B. |
| | 〒102-0072　東京都千代田区飯田橋 4-1-5 |
| 電話 | 03-3221-8013（営業・編集） |
| FAX | 03-3221-8814（ご注文） |
| 印刷所 | 音羽印刷株式会社 |

※本書は、2015年4月にGBより発行した
『東京のちいさな美術館めぐり』を加筆・修正したものです。





ISBN 978-4-910428-34-5